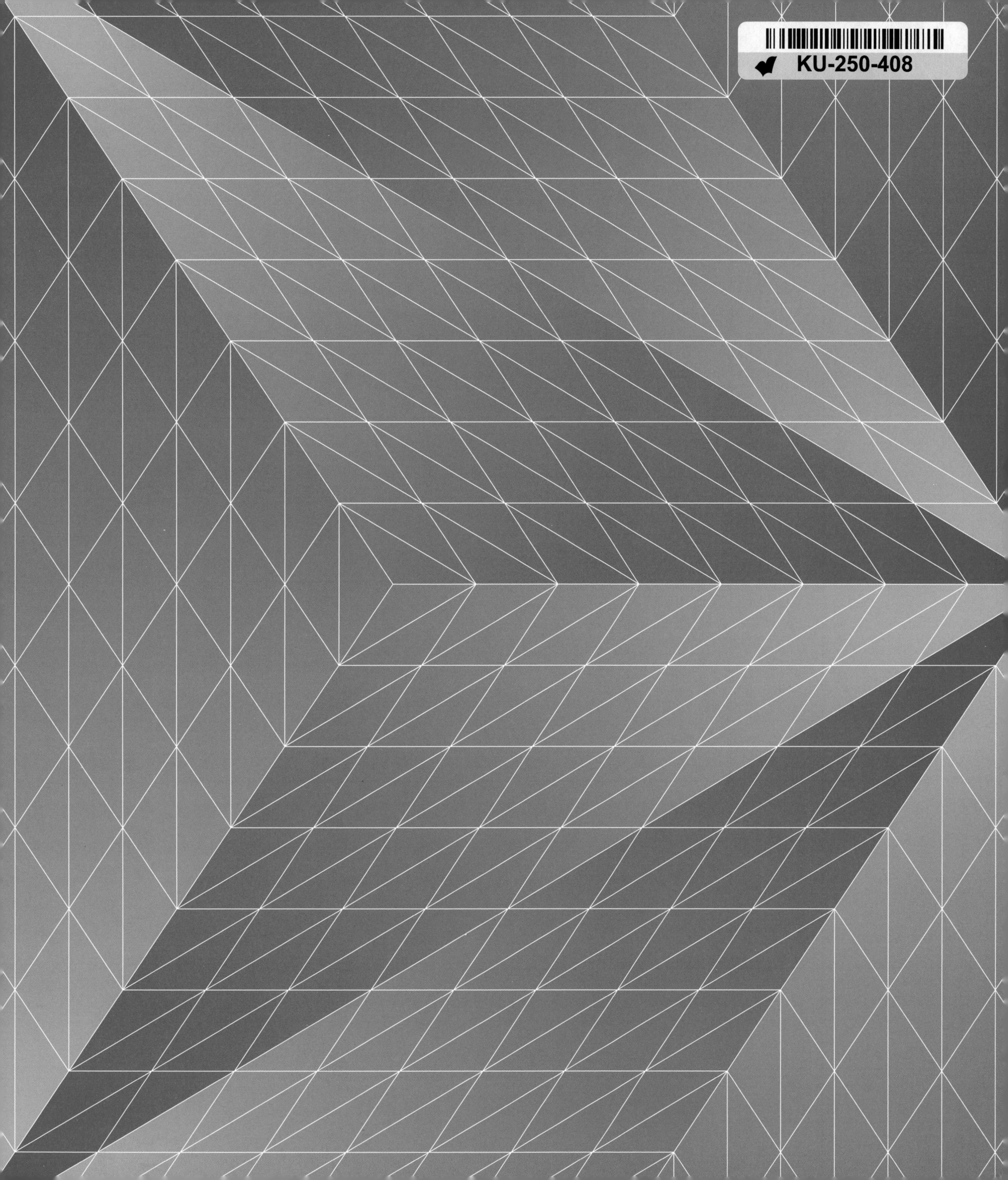
KU-250-408

Les Dinosaures

LAROUSSE

Cet ouvrage est l'adaptation française de
Insiders Dinosaurs
Copyright © 2007 Weldon Owen Inc.
Première impression : 2007

Directeur Général John Owen
Président Directeur Général Terry Newell
Editeur Sheena Coupe
Directeur de création Sue Burk
Développement John Bull, The Book Design Company
Coordination éditoriale Mike Crowton
Vice President, Ventes internationales Stuart Laurence
Vice President, Ventes et développement Amy Kaneko
Directeur Marketing Dawn Low
Administrateur, Ventes internationales Kristine Ravn

Editeur du projet Jessica Cox
Designers Julie Brownjohn, Gabrielle Green, et Amellia O'Brick

Tous droits réservés. Aucune partie de cette publication ne peut être reproduite, conservée ou transmise sous quelque forme que ce soit ou par aucun moyen que ce soit, électronique, mécanique, photocopie, enregistrement ou autres, sans la permission expresse du détenteur des droits et de l'éditeur.

Édition française
© Larousse 2007
Traduction : Frédéric Ploton
Lecture-révision : Tristan Grellet
ISBN: 978-2-03-584686-0
N° de projet : 11013046
Dépôt légal : octobre 2007

Photogravure : Chroma Graphics (Overseas) Pte Ltd
Imprimé en Chine par Toppan Leefung Printing Ltd

À la loupe

Les Dinosaures

John Long

LAROUSSE

Sommaire

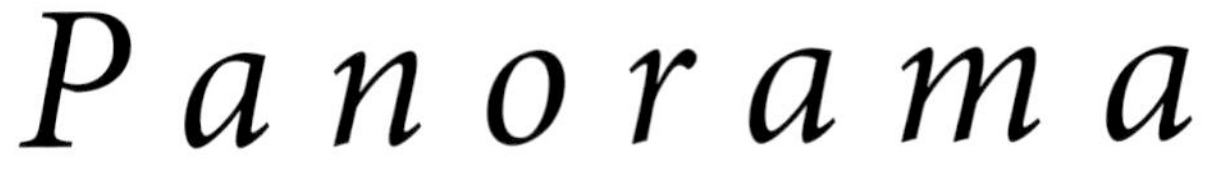

Panorama

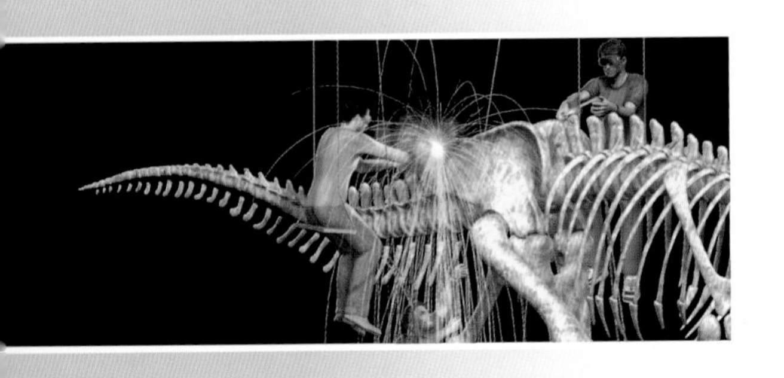

Zoom sur

Les carnivores

Les herbivores

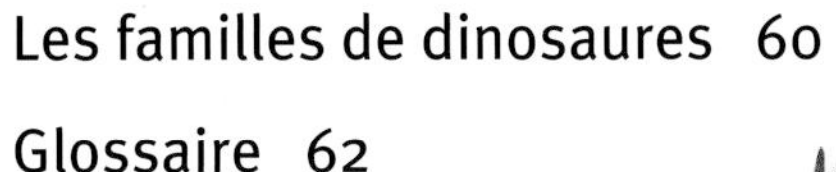

Panorama

Le règne des dinosaures

Les dinosaures étaient de grands reptiles. Ils vécurent il y a environ 160 millions d'années, jusqu'à leur disparition soudaine, il y a 65 millions d'années. Ils dominèrent la période appelée ère Mésozoïque. On a identifié près de 800 espèces différentes de dinosaures, du gigantesque et féroce *Tyrannosaurus* jusqu'au *Microraptor*, de la taille d'un poulet. Comme les mammifères aujourd'hui, ces reptiles s'adaptèrent à tous les milieux naturels sur terre, dans les océans et dans les airs. Les oiseaux actuels sont de lointains descendants des dinosaures.

Une évolution constante

Pendant les quelque 160 millions d'années qu'ils traversèrent, les dinosaures évoluèrent, passant de formes primitives et minuscules à des formes plus grandes et plus complexes. À titre d'exemple, voici l'évolution des théropodes.

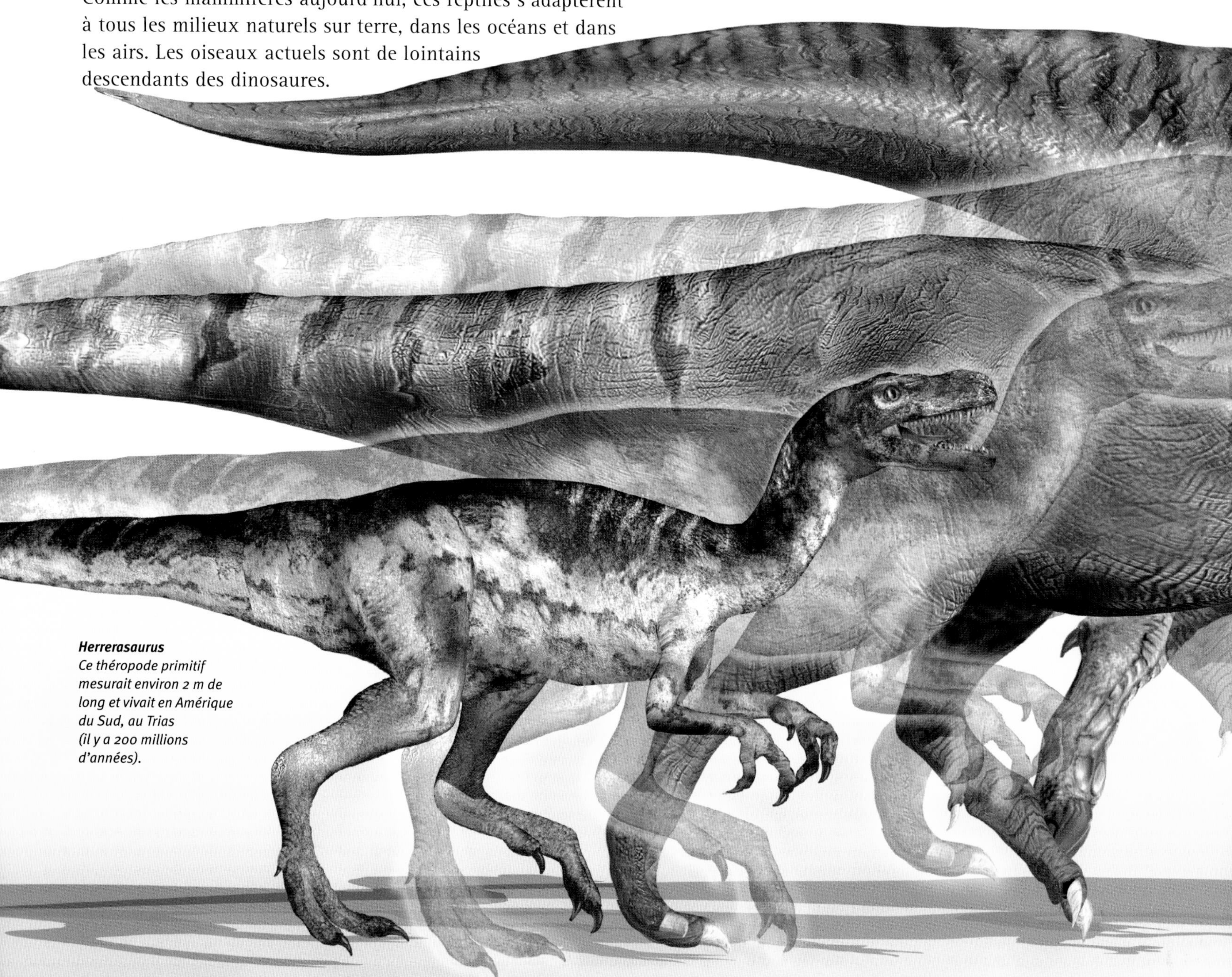

Herrerasaurus
Ce théropode primitif mesurait environ 2 m de long et vivait en Amérique du Sud, au Trias (il y a 200 millions d'années).

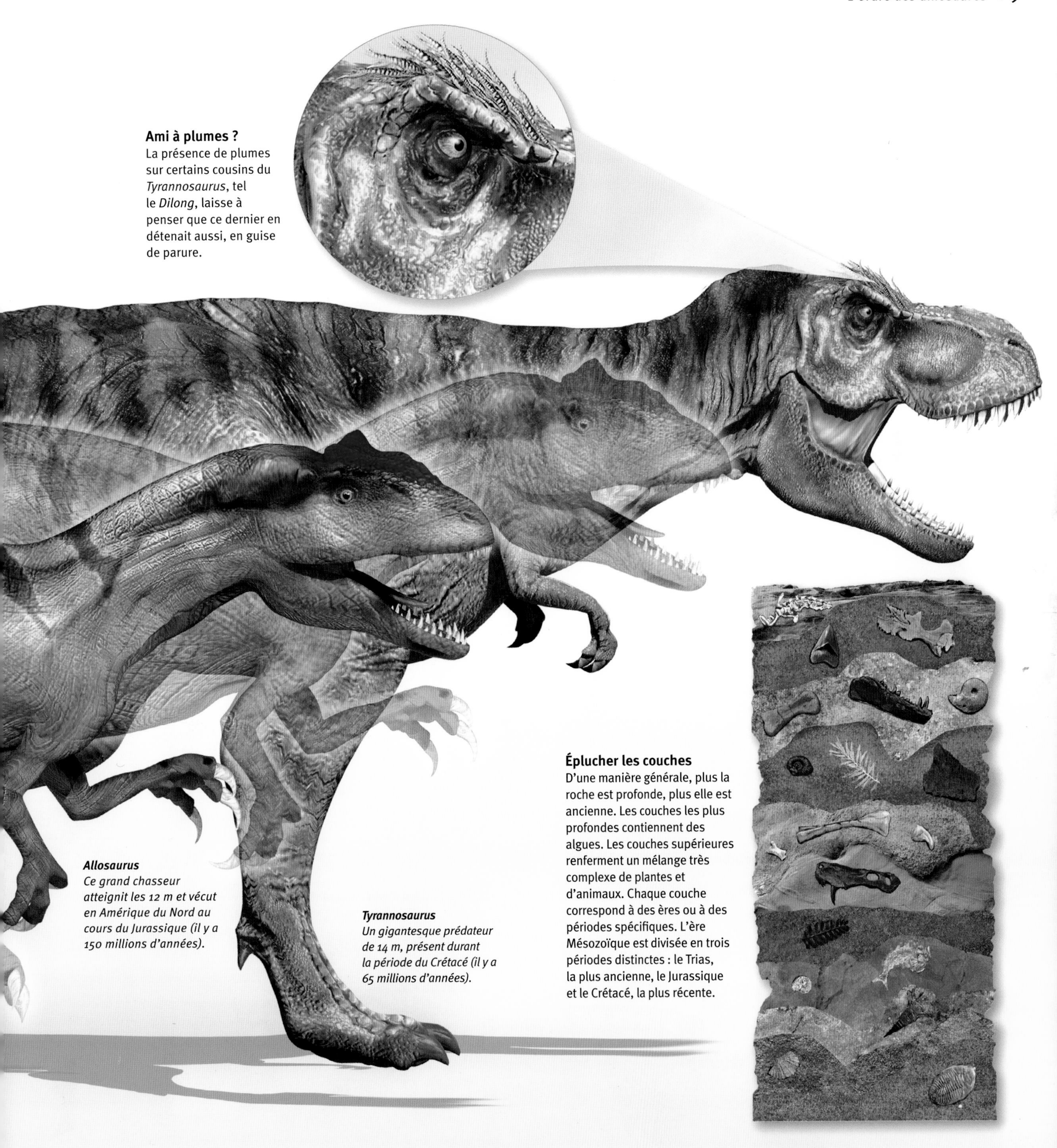

Ami à plumes ?
La présence de plumes sur certains cousins du *Tyrannosaurus*, tel le *Dilong*, laisse à penser que ce dernier en détenait aussi, en guise de parure.

Allosaurus
Ce grand chasseur atteignit les 12 m et vécut en Amérique du Nord au cours du Jurassique (il y a 150 millions d'années).

Tyrannosaurus
Un gigantesque prédateur de 14 m, présent durant la période du Crétacé (il y a 65 millions d'années).

Éplucher les couches
D'une manière générale, plus la roche est profonde, plus elle est ancienne. Les couches les plus profondes contiennent des algues. Les couches supérieures renferment un mélange très complexe de plantes et d'animaux. Chaque couche correspond à des ères ou à des périodes spécifiques. L'ère Mésozoïque est divisée en trois périodes distinctes : le Trias, la plus ancienne, le Jurassique et le Crétacé, la plus récente.

Chronologie des dinosaures

L'âge de la Terre
La Terre a environ 4,5 milliards d'années. Cette durée est divisée en grandes unités, appelées ères ou périodes.

ÈRE PALÉOZOÏQUE

AVANT LES DINOSAURES

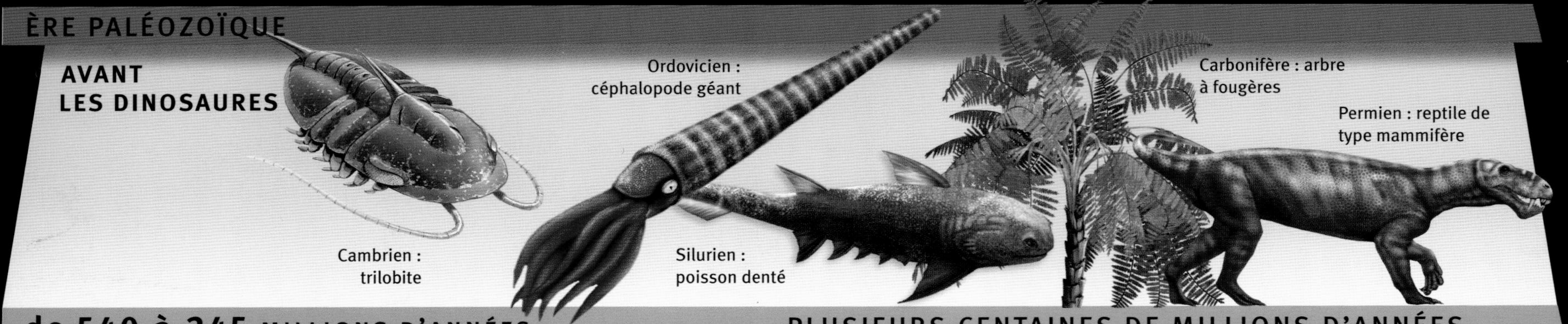

de 540 à 245 MILLIONS D'ANNÉES — PLUSIEURS CENTAINES DE MILLIONS D'ANNÉES

ÈRE MÉSOZOÏQUE

LE TRIAS

Les dinosaures apparurent à la fin du Trias, à la suite d'un réchauffement du climat. Les reptiles proliférèrent et les premiers dinosaures virent le jour. Une évolution des os de leurs pattes leur permit de courir sur deux pattes.

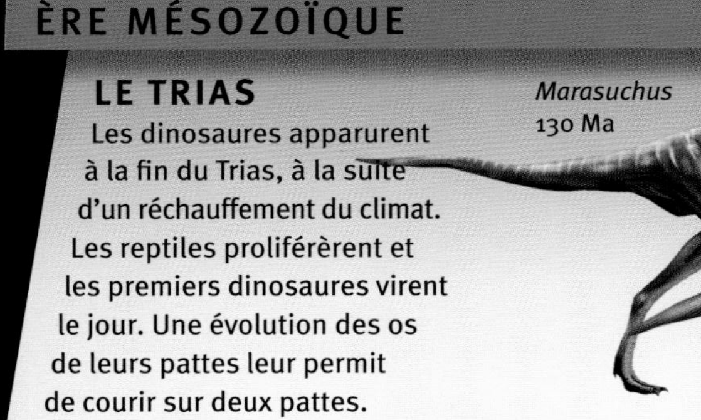
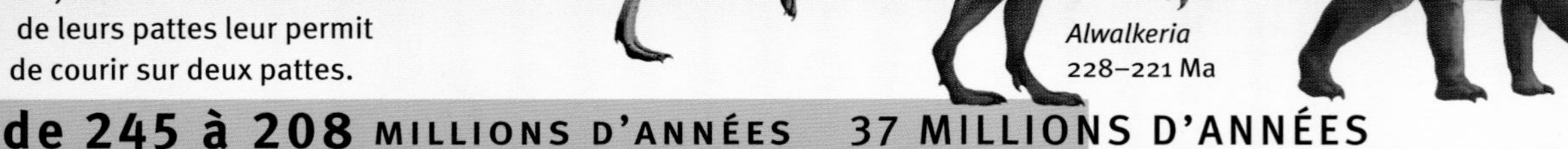

de 245 à 208 MILLIONS D'ANNÉES — 37 MILLIONS D'ANNÉES

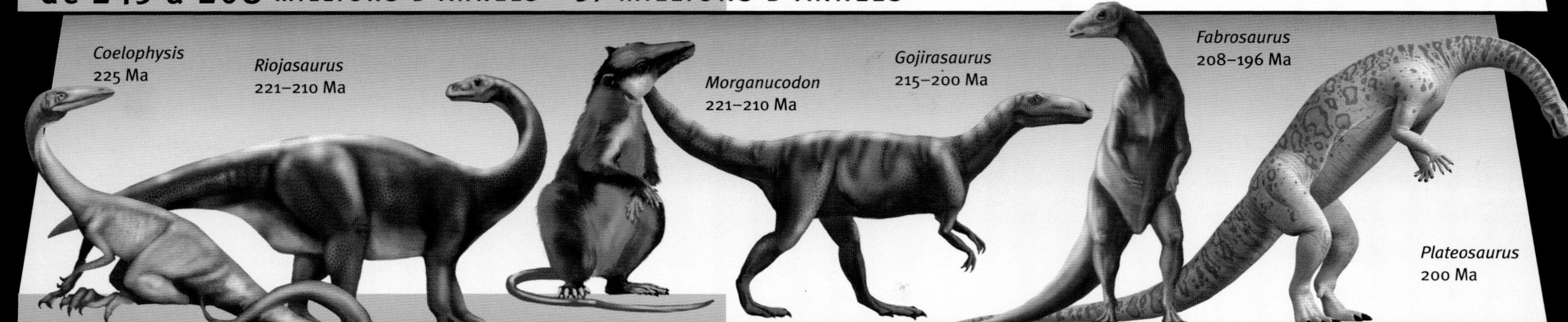

LE JURASSIQUE

Les dinosaures atteignirent leur taille maximale à la fin du Jurassique. Le taux d'oxygène augmentant, l'air devint plus dense et humide, et la végétation prospéra. Les herbivores tirèrent

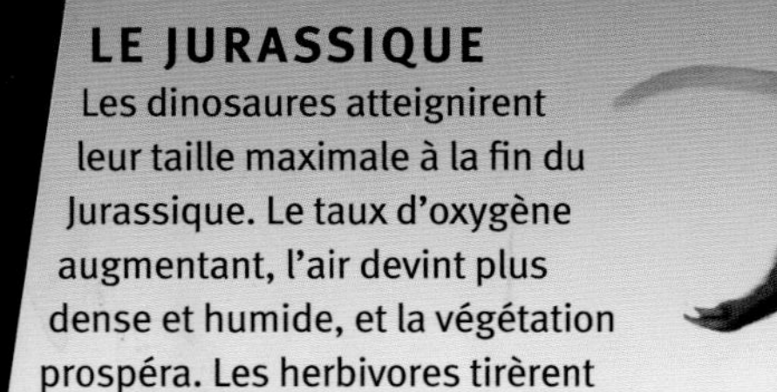

de 208 à 144 MILLIONS D'ANNÉES — 64 MILLIONS D'ANNÉES

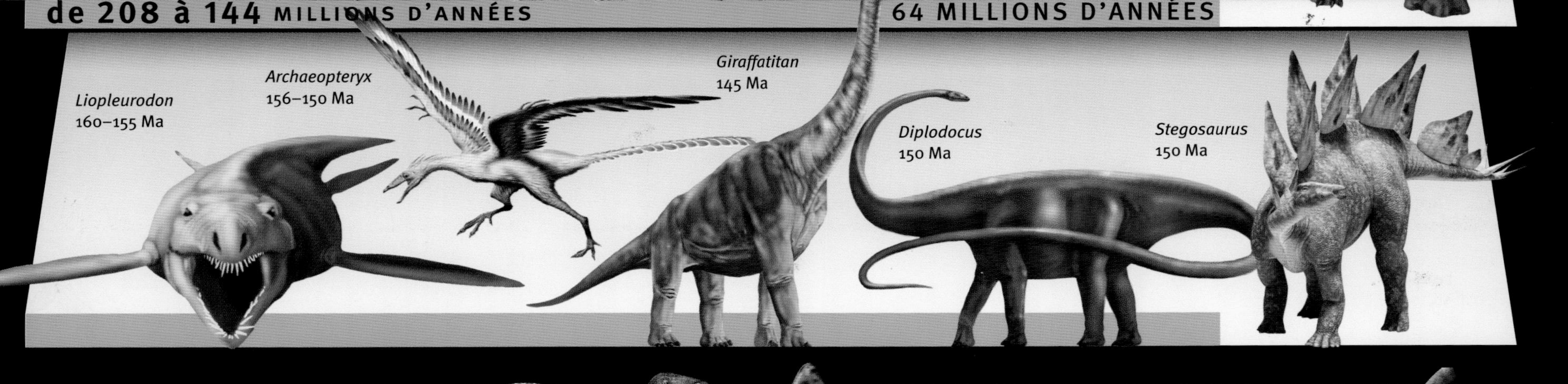

LE CRÉTACÉ

L'apparition de plantes à fleurs modifia le paysage. On suppose que cela influa aussi sur la diversification des types de dinosaures, dans la seconde moitié du Crétacé.

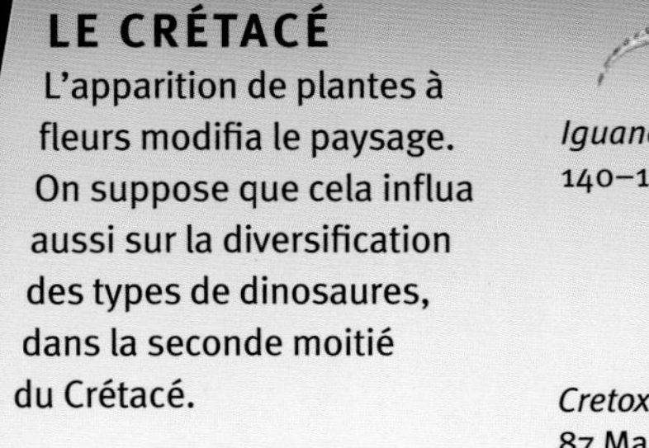

de 144 à 65 MILLIONS D'ANNÉES — 79 MILLIONS D'ANNÉES

ÈRE CÉNOZOÏQUE

APRÈS LES DINOSAURES

Les mammifères se diversifièrent pour occuper les espaces laissés libres par les dinosaures ; par exemple les baleines ou les pingouins dans les océans. Les singes donnèrent naissance aux premiers humains (3 Ma).

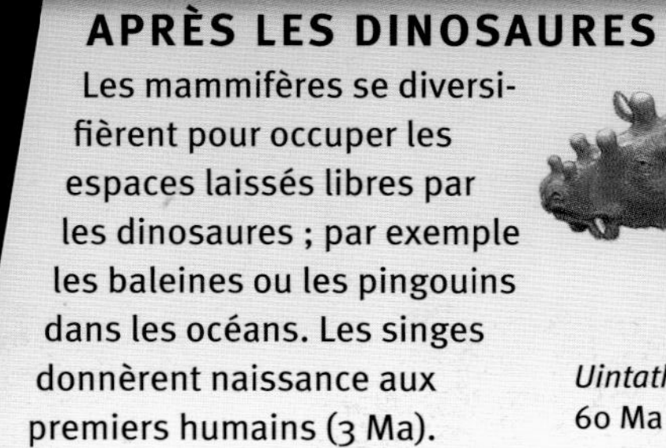
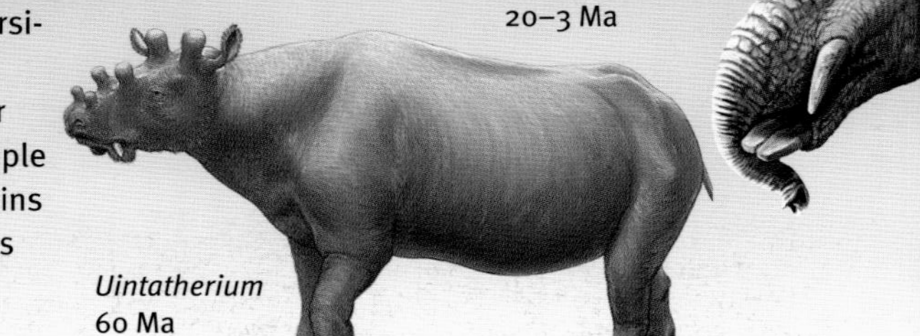

de 65 MILLIONS D'ANNÉES JUSQU'À AUJOURD'HUI — 65 MILLIONS D'ANNÉES

Les premiers dinosaures

Le Trias

Au début du Trias, il y a environ 240 millions d'années, tous les continents étaient réunis en un unique supercontinent : la Pangée. Le réchauffement du climat tempéré et l'apparition des saisons permirent le développement de paysages variés et l'apparition des premiers dinosaures, des mammifères et des ptérosaures. La terre se couvrit peu à peu d'arbres semblables aux pins et de cycadées. De petits reptiles ressemblant à des lézards cohabitèrent avec d'autres reptiles de type mammifère, et avec de grands amphibiens qui sillonnaient les rivières. À la fin du Trias, les zones équatoriales de la Pangée se désertifièrent à cause d'un phénomène de sécheresse accrue.

Eudimorphodon *L'un des premiers ptérosaures, l'Eudimorphodon, doté d'une petite tête et de dents courtes, chassait les insectes.*

Plateosaurus *Pouvant atteindre jusqu'à 10 m de long, le Plateosaurus était l'un des plus gros dinosaures du Trias.*

Coelophysis *Ce dinosaure prédateur pourvu d'un long cou vivait en groupe. On a découvert de nombreux fossiles de ce dinosaure.*

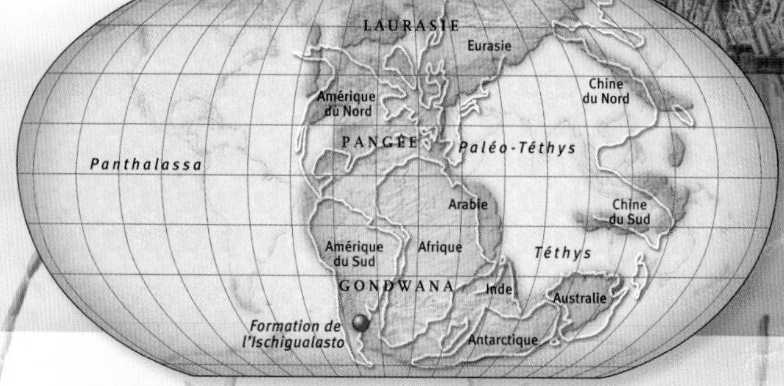

Le monde au Trias
Au cours du Trias, tous les continents étaient regroupés dans la Pangée. Ce supercontinent était entouré d'un superocéan, connu sous le nom de Panthalassa.

- Surfaces terrestres au Trias
- Limites actuelles des continents
- Situation actuelle des continents

La vie en Ischigualasto

Au nord de l'Argentine, entre 226 et 220 millions d'années, vécurent les tout premiers dinosaures et mammifères. De petits prédateurs, tels que le dinosaure *Eoraptor*, affrontaient de plus gros reptiles. D'autres, plus paisibles, à l'instar du *Plateosaurus*, se contentaient de manger des plantes.

Libellules géantes *Les libellules du Trias ressemblaient aux espèces modernes, mais mesuraient 20 cm d'envergure ! Elles constituaient un repas de choix pour les dinosaures les plus rapides.*

Neocalamites *Ces plantes communes prospéraient au bord de l'eau et dépassaient allègrement 1 m de haut.*

Ischigualasta *Ce reptile de type mammifère mesurait 2 m de long et se nourrissait de plantes, qu'il coupait avec son bec.*

Eoraptor *Le nom de ce prédateur d'environ 1 m de long, signifie « voleur de l'aube ».*

Géants et chasseurs

Le Jurassique

Durant le Jurassique, le climat devint chaud et de plus en plus humide, ce qui favorisa le développement de vastes forêts et l'apparition des gigantesques sauropodes à long cou... et de leurs grands prédateurs, les théropodes. Le ciel fut peu à peu dominé par les ptérosaures. Dans l'ombre des dinosaures, les premiers crocodiles apparurent, ainsi qu'une foule d'autres petits mammifères. Dans les océans, de grands reptiles marins tels que les ichtyosaures se nourrissaient de divers poissons vertébrés. C'est à cette époque que le premier oiseau, l'*Archaeopteryx*, se développa en Europe.

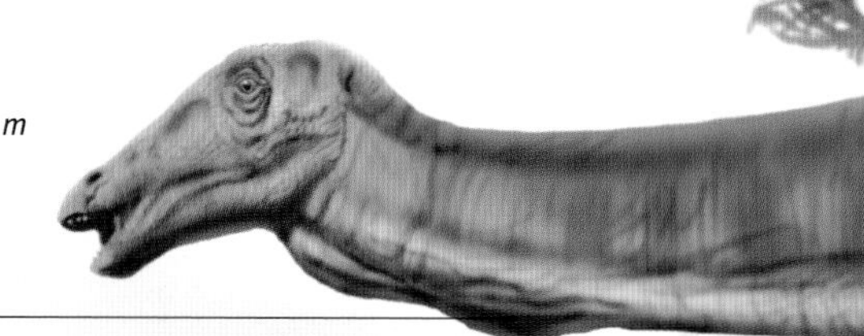

Apatosaurus
Ce sauropode pouvait atteindre 20 m de long. Son poids lui permettait de plier les arbres afin d'atteindre les feuilles fraîches, à leur cime.

La vie dans la formation Morrison

Il y a quelque 150 millions d'années, en Amérique du Nord, une vaste communauté de dinosaures prospérait sur les plaines immenses, ceintes de forêts de conifères et de fougères de la région baptisée la formation Morrison. Les plus grands dinosaures, les sauropodes, étaient la proie des théropodes, tandis que les dinosaures de moindre taille se rabattaient sur les grenouilles, les salamandres et les ptérosaures.

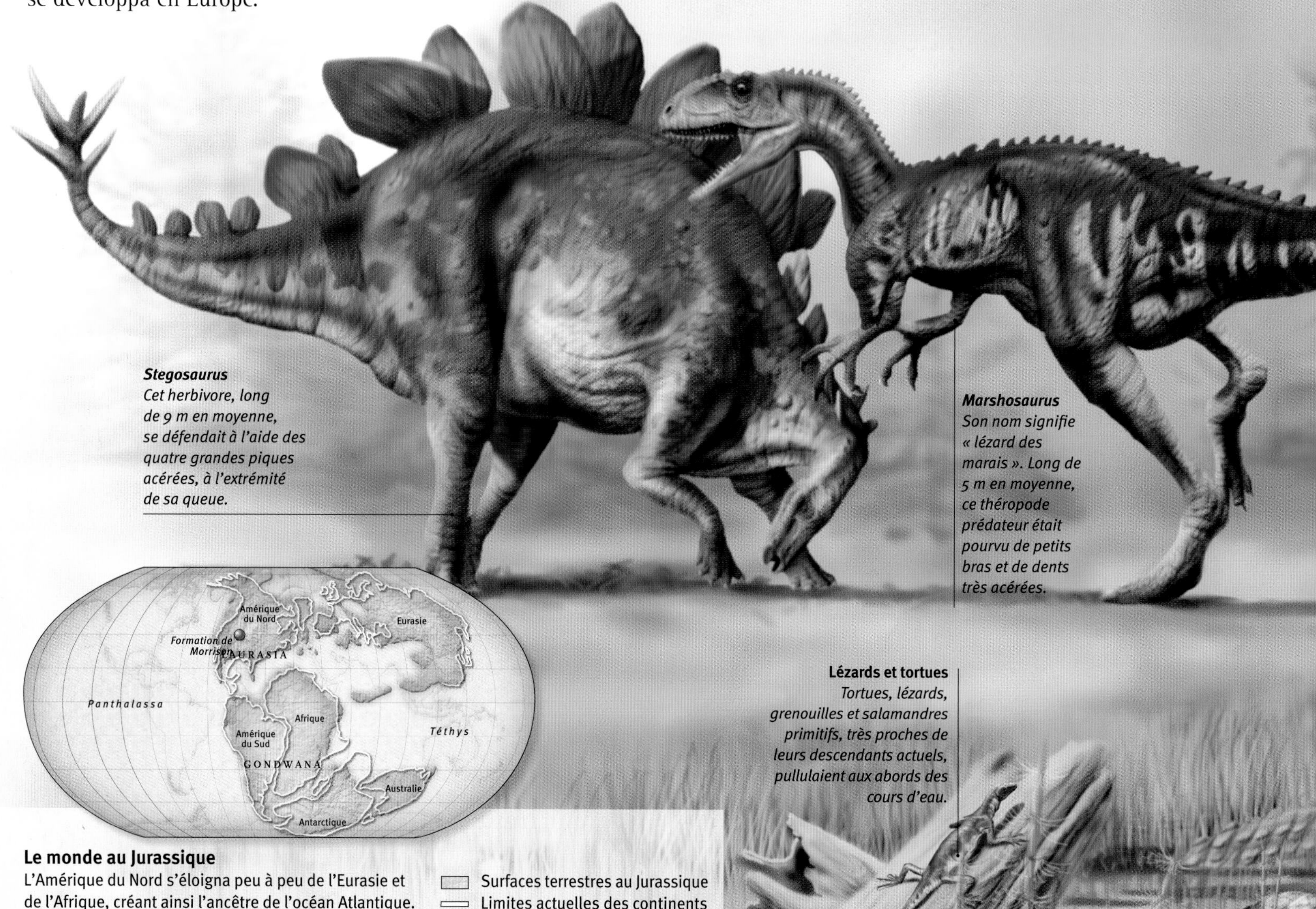

Stegosaurus
Cet herbivore, long de 9 m en moyenne, se défendait à l'aide des quatre grandes piques acérées, à l'extrémité de sa queue.

Marshosaurus
Son nom signifie « lézard des marais ». Long de 5 m en moyenne, ce théropode prédateur était pourvu de petits bras et de dents très acérées.

Lézards et tortues
Tortues, lézards, grenouilles et salamandres primitifs, très proches de leurs descendants actuels, pullulaient aux abords des cours d'eau.

Le monde au Jurassique
L'Amérique du Nord s'éloigna peu à peu de l'Eurasie et de l'Afrique, créant ainsi l'ancêtre de l'océan Atlantique. Au sud, le bloc terrestre Gondwana demeure intact.

- Surfaces terrestres au Jurassique
- Limites actuelles des continents
- Situation actuelle des continents

Ptérosaures
Diverses espèces de ptérosaures vécurent au Jurassique. Certains étaient dotés d'une longue queue, d'autres en étaient dépourvus. Tous se nourrissaient de poisson.
La flore
Le paysage était composé de grands conifères, tels que les araucarias, qui répandaient de nombreux glands sur le sol.
Goniopholis
L'un des tout premiers crocodiles, le Goniopholis, *peuplait les rivières. Il chassait aussi bien des proies aquatiques que les autres animaux qui venaient s'abreuver.*

Fuir dans les airs

Le Crétacé

Le Crétacé fut marqué par la dérive des continents et un climat plus changeant. Doux sous les tropiques, il était plus rigoureux au nord. Partout, des dinosaures très différents apparurent. Les oiseaux et les mammifères proliférèrent également. Les premières plantes à fleurs poussèrent au début du Crétacé et se répandirent très vite parmi toute la végétation. À l'issue de cette période, un impact de météorite très violent plongea le monde dans le chaos. On suppose que cet événement précipita la disparition des dinosaures, même si certains d'entre eux s'étaient déjà éteints.

Haopterus
Ce ptérosaure affublé d'un long museau possédait de nombreuses petites dents et une large envergure (1,3 m). Il se nourrissait probablement de poissons des lacs.

La vie dans le Yixian

En Chine, il y a 130 millions d'années, des dinosaures et des oiseaux primitifs vivaient près d'un gigantesque lac. Les dinosaures qui tombèrent dans ses eaux furent ensevelis sous les sédiments, ce qui explique l'exceptionnelle conservation de fragments de peau. Ces fossiles prouvent que certains dinosaures étaient couverts de plumes, comme les oiseaux.

Bennettitales
Ces plantes graminées ressemblaient aux cycadées : un tronc solide et de longues branches feuillues.

Psittacosaurus
Ce dinosaure herbivore à la tête de perroquet mesurait environ 3 m. Les longs piquants qui couvraient sa queue assuraient sa protection.

Repenomamus
Le squelette d'un jeune Psittacosaurus *a été retrouvé dans l'estomac d'un* Repenomamus*, ce qui tend à prouver que l'un était la proie de l'autre.*

Amérique du Nord
Asie
Europe
Formation du Yixian
Téthys
Afrique
Amérique du Sud
Inde
Australie
Antarctique

Le monde au Crétacé

La partie sud du Gondwana se scinda en deux plaques terrestres. Le froid s'imposa au nord, où un climat polaire apparut.

- Surfaces terrestres au Crétacé
- Limites actuelles des continents
- Situation actuelle des continents

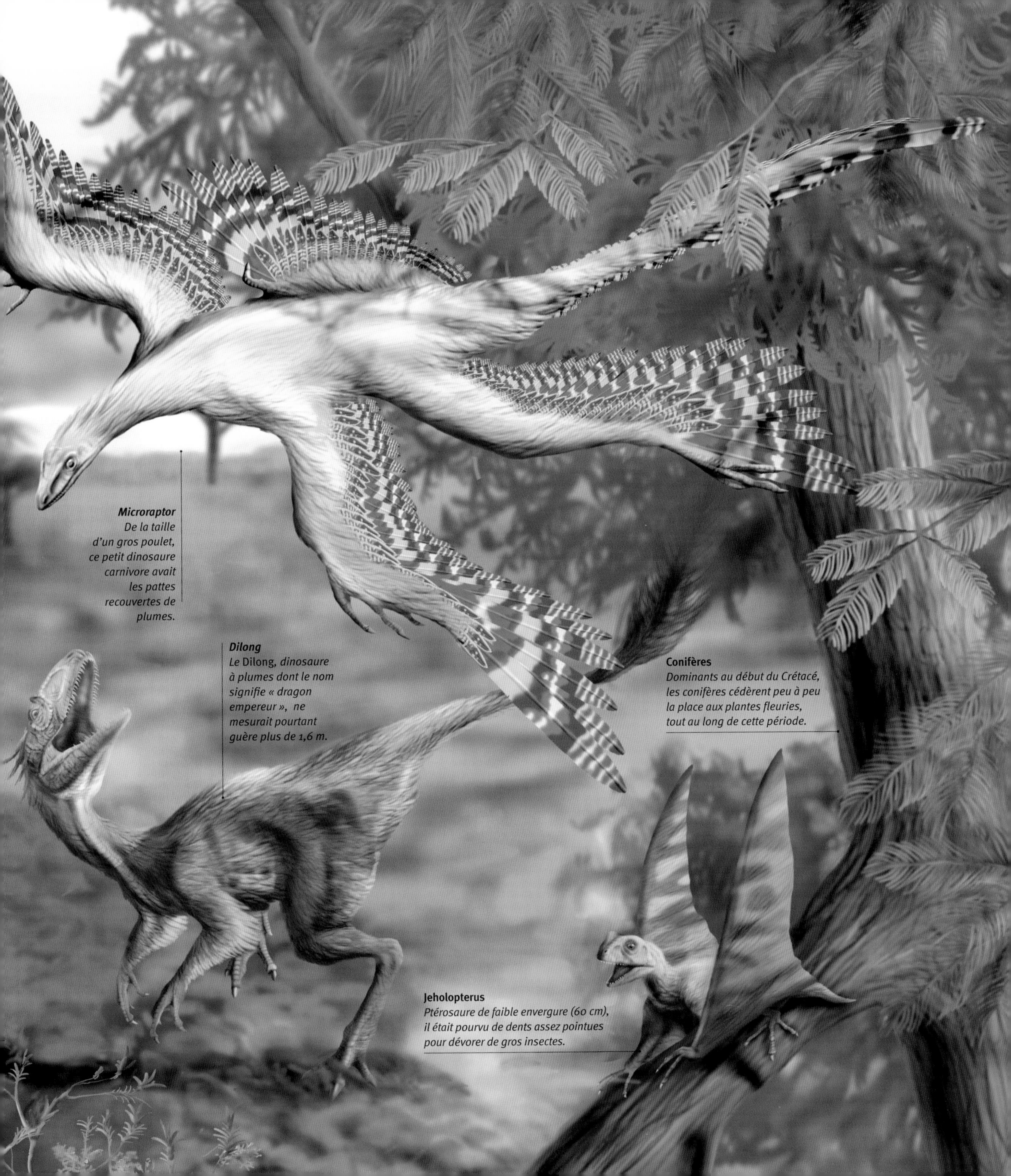
Microraptor
De la taille d'un gros poulet, ce petit dinosaure carnivore avait les pattes recouvertes de plumes.
Dilong
Le Dilong, dinosaure à plumes dont le nom signifie « dragon empereur », ne mesurait pourtant guère plus de 1,6 m.
Conifères
Dominants au début du Crétacé, les conifères cédèrent peu à peu la place aux plantes fleuries, tout au long de cette période.
Jeholopterus
Ptérosaure de faible envergure (60 cm), il était pourvu de dents assez pointues pour dévorer de gros insectes.

Le début de la fin
Cette catastrophe survint probablement dans la péninsule du Yucatán, au Mexique, où on a découvert un large cratère enseveli, d'un diamètre d'au moins 200 km. Des roches en surface témoignent par ailleurs d'autres cataclysmes.

Étape 1 : l'impact
L'impact effroyable de la météorite a exterminé toute forme de vie dans un large périmètre. Les débris incandescents du projectile pulvérisé ont été projetés très haut dans l'atmosphère.

Étape 2 : tsunamis et éruptions
Les matériaux dispersés refroidissent, mais une poussière épaisse demeure dans l'atmosphère. Le choc a provoqué des tremblements de terre et, de l'autre côté du globe, des éruptions volcaniques.

La disparition des Dinosaures

Il y a quelque 65 millions d'années, la Terre fut percutée par une énorme météorite, de 7 à 10 km de diamètre. Heurtant la surface de la Terre à la vitesse de 11 km par seconde, celle-ci fit un trou dans l'atmosphère terrestre puis se pulvérisa. L'explosion emplit l'atmosphère de poussière, formant un écran entre le Soleil et la végétation, et filtrant les rayons ultraviolets. Le fort réchauffement qui s'ensuivit affaiblit la croûte terrestre et provoqua de nombreuses éruptions volcaniques. Les dinosaures, les autres grands reptiles – ptérosaures, mosasaures, plésiosaures – et les invertébrés aquatiques (ammonites) n'y survécurent pas.

Autres théories
Certains scientifiques pensent que les dinosaures disparurent parce qu'ils ne surent pas s'adapter à un brusque changement climatique. D'autres parlent d'empoisonnement par les gaz volcaniques ou de mutation génétique.

Refroidissement La dérive des continents dévie les courants chauds. L'eau plus froide venant des pôles rafraîchit les océans.

Réchauffement Les gaz émis dans l'atmosphère provoquent un effet de serre qui retient la chaleur du Soleil et chauffe la Terre.

LES SURVIVANTS

De nombreux reptiles et amphibiens, comme les tortues, les crocodiles, les grenouilles et les salamandres, survécurent à cette catastrophe.

L'hoazin est un oiseau primitif d'Amérique du Sud, qui possède deux griffes à chaque aile, comme les tout premiers oiseaux.

Étape 3 : effets à long terme
Les poussières et les gaz dans l'atmosphère provoquent des pluies acides et amplifient l'effet de serre. De nombreuses plantes meurent, ce qui conduit à la disparition des animaux qui s'en nourrissaient.

Le dinosaure et son anatomie

Les dinosaures n'étaient ni plus ni moins que des reptiles avec des jambes. Alors que certains autres reptiles rampaient, les dinosaures pouvaient marcher, dressés sur leurs pattes, et parfois même courir. Ils évoluèrent ainsi sous la forme d'animaux à sang chaud, vifs, alors que les autres reptiles demeurèrent des créatures à sang froid, et plus lentes. Les saurischiens, dotés d'un bassin semblable à celui des lézards, comprenaient aussi bien les théropodes carnivores que les sauropodes herbivores. Les ornithischiens, à bassin d'oiseau, étaient tous herbivores.

Bassin
Les os du bassin du *Tyrannosaurus* – l'ischion, l'ilion et le pubis – sont caractéristiques d'un lézard. Les muscles puissants des pattes sont attachés à l'ilion.

Estomac
Le Tyrannosaurus *avalait de gros morceaux de viande sans les mâcher. Son estomac était donc assez vaste pour stocker toute cette nourriture avant sa digestion.*

Crâne
Le crâne comprenait des mâchoires très massives, des dents, et de nombreux petits os qui protégeaient le cerveau de taille réduite. Ces os étaient percés pour être plus légers.

Os, organes, muscles et peau

Comme tous les autres vertébrés, le corps des dinosaures était structuré par une charpente d'os et de muscles, qui protégeaient leurs organes internes, le tout étant recouvert de peau à l'extérieur.

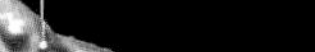

Pattes arrière
Les os des orteils étaient liés à la jambe par des métatarses assez serrés pour supporter le poids important de l'animal, et l'os de la cheville.

Intestins
Les carnivores avaient un intestin plus court que celui des herbivores.

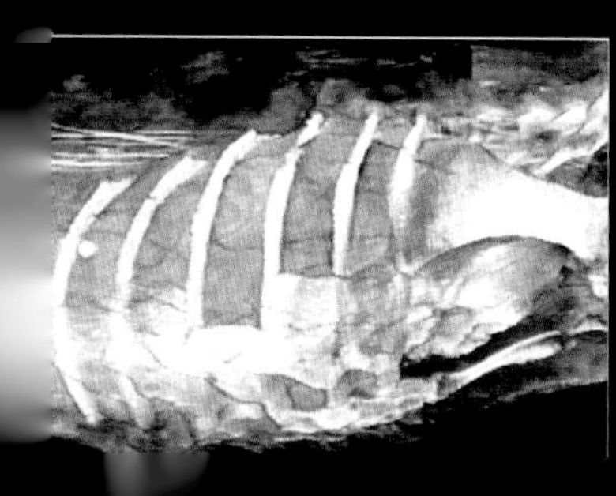

Cœur de pierre
Ce fossile représente ce que fut le cœur d'un *Thescelosaurus*. Riche en fer, il ne se décomposait pas comme la plupart des tissus, mais se transformait en minéral, puis en fossile.

Vieille blessure
L'excroissance sur l'os de ce *Leaellynasaura* prouve que sa jambe fut blessée – sans doute par un prédateur ou lors d'une chute – puis s'infecta. La blessure se résorba avec la croissance

Pattes arrière
Elles se devaient d'être solides et puissantes pour supporter les quelque 4,5 tonnes du corps du Tyrannosaurus*. Ce dinosaure était cependant trop massif pour être vraiment rapide.*

Poumons
Gros et puissants comme des soufflets, ils étaient en mesure d'alimenter en oxygène tout ce corps.

Queue
Dressée en l'air, elle servait de contrepoids à l'ensemble du corps, et évitait au Tyrannosaurus *de basculer en avant.*

Mâchoires
Une articulation supplémentaire entre les mâchoires supérieure et inférieure permettait au Tyrannosaurus *d'ouvrir largement sa gueule (1,2 m), pour avaler les énormes morceaux tranchés par ses dents acérées.*

Dos
Les vertèbres, attachées au cou et aux muscles dorsaux, affleuraient sur le dos, formant une sorte de crête.

Yeux
Les yeux de ce chasseur étaient braqués vers l'avant. Mais sa vision stéréoscopique lui permettait de voir tout autour de lui. De petits os saillants surplombaient les yeux.

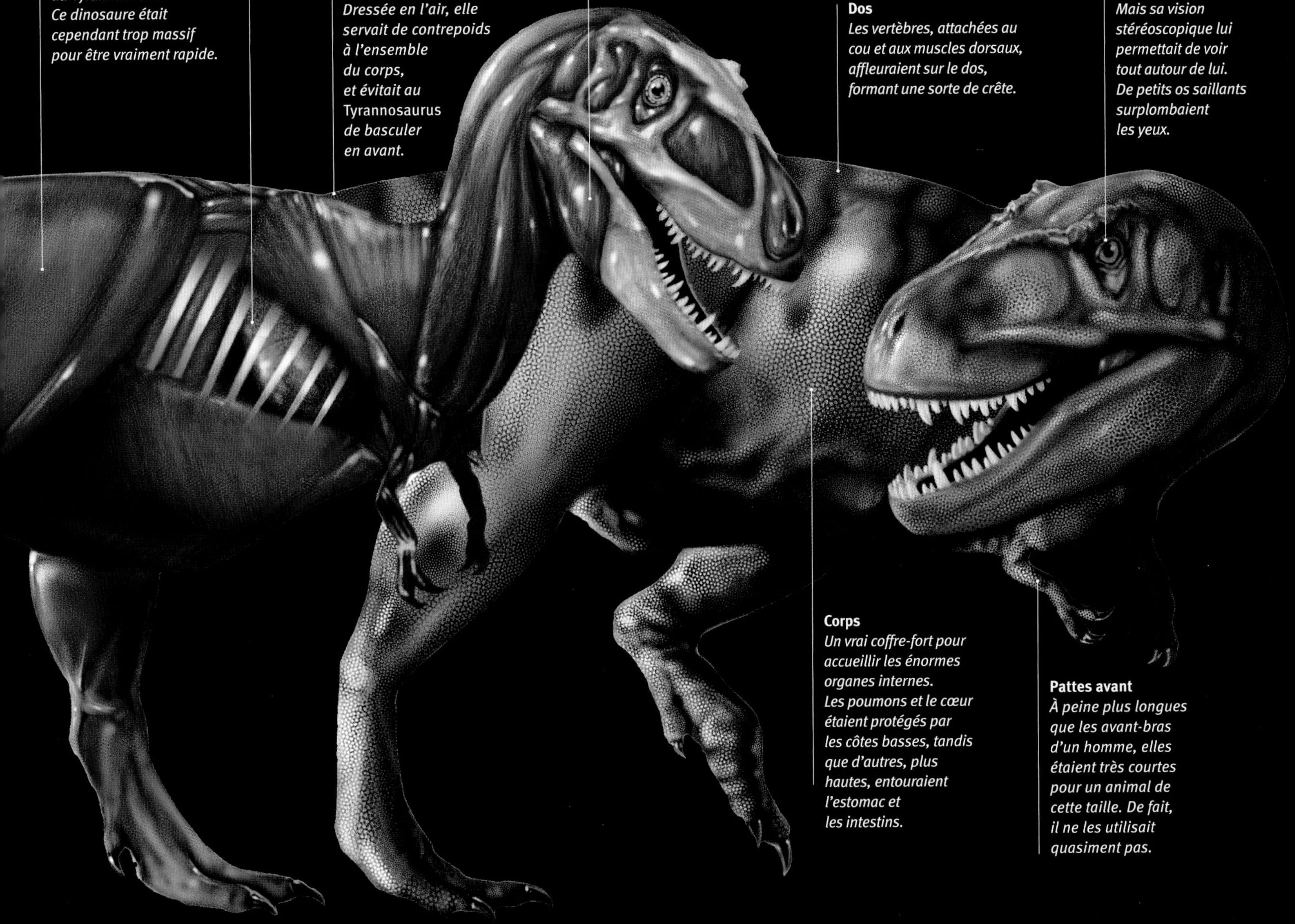

Corps
Un vrai coffre-fort pour accueillir les énormes organes internes. Les poumons et le cœur étaient protégés par les côtes basses, tandis que d'autres, plus hautes, entouraient l'estomac et les intestins.

Pattes avant
À peine plus longues que les avant-bras d'un homme, elles étaient très courtes pour un animal de cette taille. De fait, il ne les utilisait quasiment pas.

Les deux bassins

Les deux principaux groupes de dinosaures étaient les saurischiens, dont le bassin évoquait celui des lézards, et les ornithischiens, dont le bassin était semblable à celui des oiseaux. Ces derniers se développèrent sur ce modèle-là.

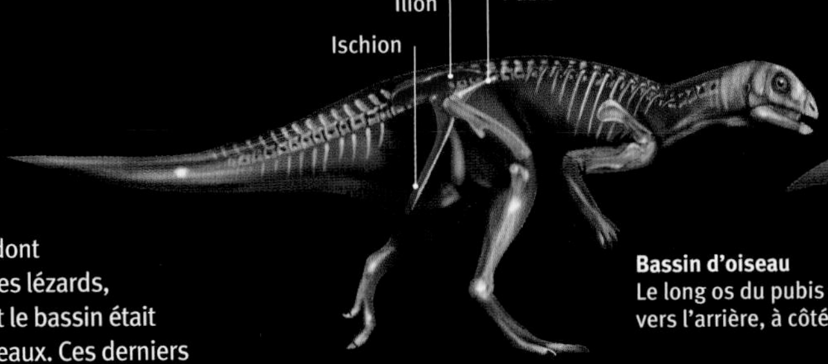

Bassin d'oiseau
Le long os du pubis était orienté vers l'arrière, à côté de l'ischion.

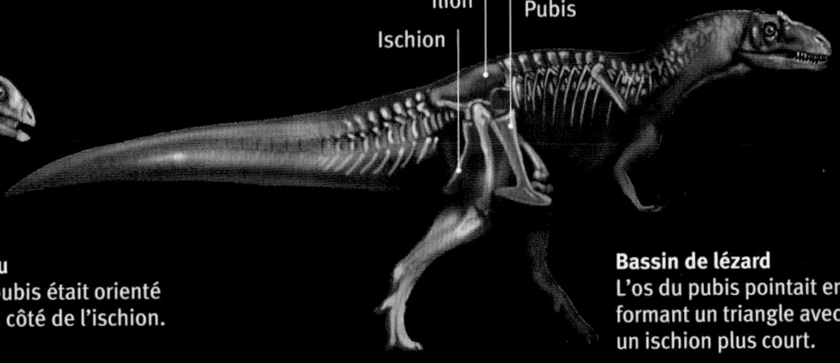

Bassin de lézard
L'os du pubis pointait en avant, formant un triangle avec l'ilion et un ischion plus court.

Attaque et défense

La survie

Qu'ils se défendent ou qu'ils attaquent eux-mêmes, les dinosaures livraient un combat quotidien pour leur survie. Les prédateurs carnivores se servaient de leurs mâchoires puissantes et de leurs dents comme de lames pour s'en prendre à leurs proies. Certains utilisaient leurs griffes pour lacérer les parties exposées de leur victime, comme l'estomac. Ils fondaient sans doute sur leurs proies, comme le font les lions et les guépards aujourd'hui. Les herbivores durent élaborer de nombreuses stratégies de défense pour se soustraire à ces attaques : os du crâne renforcés, cornes, piques, plaques osseuses, ou encore une queue assez puissante pour faucher les tibias de leur agresseur.

DÉFENSE OU SÉDUCTION ?

Chez certains dinosaures, tels que le *Protoceratops*, les cornes ou le tablier osseux s'apparentaient aux bois des cerfs modernes. Outils de défense contre les prédateurs, ou de combat contre un rival, ces cornes servaient aussi à attirer un partenaire potentiel. Plus ces appendices étaient gros et clairs, plus le pouvoir d'attraction était fort.

Affrontement

Un *Albertosaurus* se rue sur un *Styracosaurus*. Sa gueule ouverte laisse voir ses dents pointues et acérées. Mais le dinosaure à cornes ne recule pas, agitant son tablier osseux en guise d'avertissement. S'il se sent véritablement menacé, il n'hésitera pas à charger.

À l'attaque

Utahraptor
Ses dents étaient crénelées sur un côté. Ses pattes avant et arrière portaient des griffes en forme de faucille.

Deinonychus
Rapides et redoutables avec leurs dents acérées et leurs griffes en forme de faux, ils attaquaient probablement en bande.

En défense

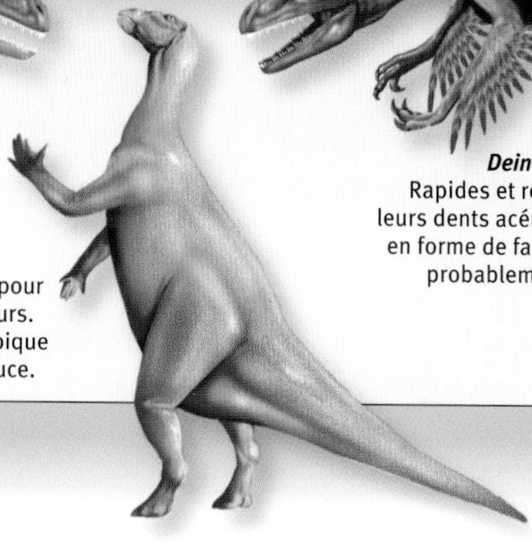

Iguanodon
Ils vivaient en troupeaux pour dissuader leurs agresseurs. Leurs pattes avaient une pique pointue à la place du pouce.

Carnotaurus
Des dents pointues, des griffes puissantes et de petites cornes au-dessus des yeux.
Troodon
Son cerveau d'une taille supérieure à la moyenne et ses yeux orientés vers l'avant favorisaient sa recherche de proies.
Baryonyx
Il transperçait les poissons avec ses griffes crochues, et les achevait grâce à sa mâchoire de crocodile.
Ankylosaurus
Outre son épaisse carapace hérissée de piques, il disposait d'une queue ornée d'une massue à son extrémité.
Stegoceras
Son crâne était épais, en forme de dôme et couronné de piques : idéal pour percuter ses agresseurs.
Diplodocus
Outre sa masse impressionnante, il disposait de griffes et d'une queue qu'il faisait claquer comme un fouet.

Les dinosaures prennent leur envol

Certains petits dinosaures commencèrent à se couvrir de plumes il y a environ 150 millions d'années. Dans un premier temps, leur corps ne fut parsemé que de quelques plumes, sans doute pour lutter contre le froid. Puis, peu à peu, leurs pattes et leurs doigts ressemblèrent à des ailes, permettant même à certains théropodes de planer d'arbre en arbre. Mais aucun de ces dinosaures à plumes ne volait réellement. Il fallut attendre pour cela les premiers oiseaux, tel l'*Archaeopteryx*. Malgré leurs longues pattes ailées et leur queue couverte de plumes, leur squelette différait peu de celui des théropodes terrestres comme le *Velociraptor*. Les paléontologues en déduisent que ces premiers oiseaux descendent directement des dinosaures.

DE LA PATTE À L'AILE

Pour passer de la patte du dinosaure à l'aile de l'oiseau, il aura fallu que le poignet change, que les os s'allongent et s'allègent, que les plumes apparaissent et s'étoffent. Autant de changements qui permirent aux dinosaures de quitter le sol et de planer.

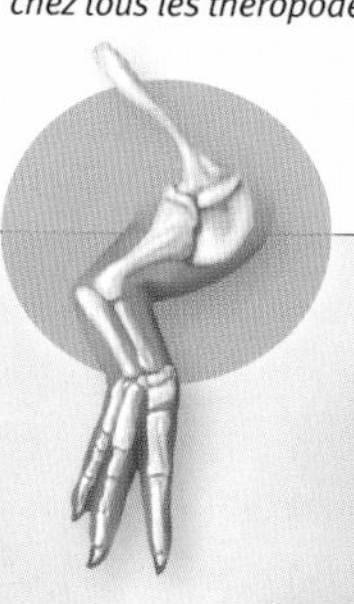

Sinosauropteryx *De petites plumes couvraient son corps. Les os de ses pattes étaient courts, comme chez tous les théropodes.*

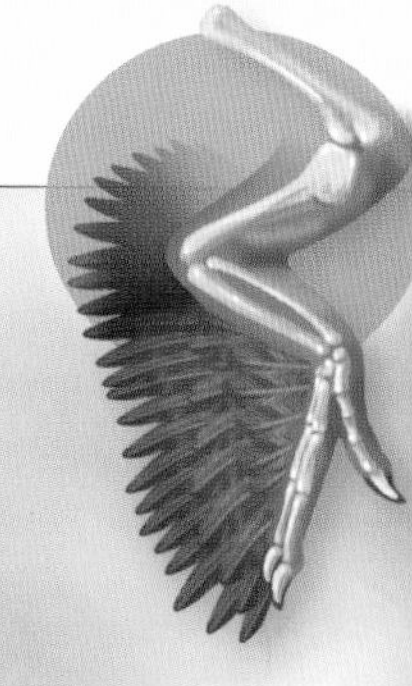

Caudipteryx Des plumes plus larges ornaient ses pattes et sa queue. Les os de ses doigts étaient plus longs.

Dilong *Ce cousin chinois du* Tyrannosaurus *mesurait 1,6 m. Ses plumes étaient plus longues et plus développées que celles du* Sinosauropteryx.

Velociraptor *Ce dinosaure chinois était doté d'un os dans le poignet, typique des oiseaux.*

Caudipteryx *De la taille d'un dindon, ce dinosaure chinois fut le premier dinosaure terrestre à posséder de larges plumes sur les pattes, peut-être pour séduire.*

Sinosauropteryx *Découvert en Chine, le* Sinosauropteryx *est le premier dinosaure à plumes connu. Il était intégralement couvert de petites plumes duveteuses. Mais ses pattes étaient trop courtes pour voler.*

Unenlagia *Ce dinosaure d'Amérique du Sud était capable de replier et de « battre » ses pattes comme le font les oiseaux. Hélas, il était trop lourd pour prendre son envol...*

Né pour voler

Des paléontologues ont récemment retrouvé en Chine des dinosaures à plumes datant de 130 millions d'années. Ces fossiles à plumes ont permis de revoir largement nos a priori sur l'origine des oiseaux. Ils attestent en effet que ces derniers descendent bien de petits dinosaures carnivores et couverts de plumes.

Microraptor
Ses plumes étaient bien développées. Les os des pattes et des doigts, plus longs, étaient creux, et donc plus légers.

Archaeopteryx
Des os plus longs et plus légers, des plumes plus élaborées formant une queue : cet ensemble permit le vol.

Archaeopteryx
C'est le tout premier oiseau. De la taille d'un corbeau, il a la structure osseuse d'un Microraptor. *Mais les plumes particulières de ses pattes lui permettent de s'envoler.*

Microraptor *Gros comme un poulet, ce dinosaure disposait de belles plumes sur ses pattes avant et arrière. Il planait sans doute d'arbre en arbre, chassant les insectes.*

Troodon *Son squelette et la taille de son cerveau l'apparentent aux premiers oiseaux. Avec ces deux atouts, il était prêt pour le vol.*

Les 4 ailes du voleur

Le fossile de ce *Microraptor* (littéralement « petit voleur ») montre que ses plumes formaient une aile sur chacune de ses quatre pattes. Cette pièce provient du gisement de fossiles de Liaoning.

Élever les jeunes

Après l'accouplement, les femelles pondaient et couvaient leurs œufs, comme tous les reptiles et les oiseaux. Les herbivores, tels que le *Maiasaura*, se regroupaient pour mieux protéger leur progéniture. Certains sauropodes créèrent même de larges espaces de nidification, chaque nid comprenant plusieurs œufs de mères différentes. La femelle *Oviraptor*, elle, couvait seule, disposant ses œufs en cercle. Certains herbivores surveillaient leurs petits pendant plusieurs semaines, jusqu'à ce qu'ils marchent. Les rejetons dépendaient donc totalement de leurs parents, qui les nourrissaient et les protégeaient des nombreux prédateurs.

Une bonne mère

Maiasaura *signifie « bonne maman lézard ». Ce dinosaure bâtissait son nid à proximité de ses congénères. Il y choyait ses petits pendant 6 à 8 semaines, jusqu'à ce que les nourrissons tiennent sur leurs jambes.*

Petit non éclos
L'embryon du *Maiasaura* avait bien sûr une constitution très différente de celle des adultes : un corps plus menu, une tête et une queue réduites et des membres beaucoup plus fins. Le cartilage de ses os était encore mou.

ERREUR SUR LA PERSONNE

L'*Oviraptor*, un petit prédateur, doit son nom de « voleur d'œufs » au fait que son fossile a été retrouvé près d'un nid de *Protoceratops*. Mais des recherches plus récentes ont montré qu'il s'agissait de ses propres œufs. Il était donc gardien, et non voleur, comme l'atteste un autre fossile, où il couvre les œufs de ses pattes.

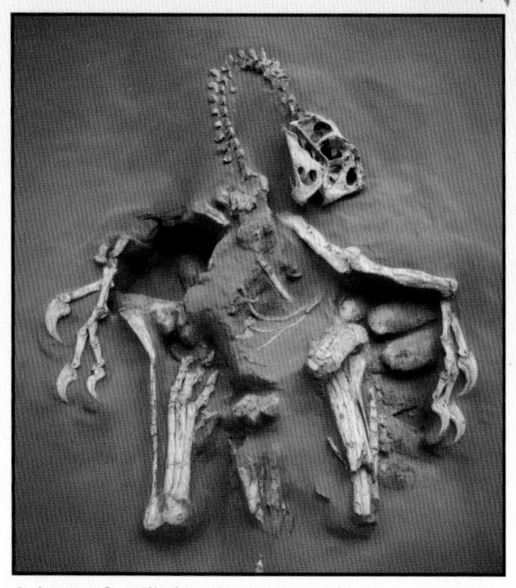

Oviraptor fossilisé assis sur son nid.

Oviraptor couvant ses œufs.

Quelques œufs de dinosaure
La taille et la forme des œufs variaient beaucoup. Chaque portée comprenait de 7 à 50 œufs. La coquille se cassait ou se fissurait facilement, de telle sorte que beaucoup mouraient à l'état d'embryons avant l'éclosion.

Poule
Cet œuf de poule permet de se faire une idée de la taille des œufs de dinosaures.

Velociraptor
Un œuf long, fin et pointu, dont la coquille est couverte de stries.

Hypselosaurus
Cet œuf ovale était de la taille d'un ballon de football.

Protoceratops
Cet herbivore à cornes pondait des œufs allongés et bossués.

Sauropode
Un gros œuf ovale, légèrement strié et couvert de bosses à sa surface.

La nourriture *Les parents cueillaient des feuilles de conifères et de fougères. Après avoir partiellement digéré cette nourriture, ils la régurgitaient et la distribuaient à leur progéniture.*
Le nid *Le nid était fait de sable étalé sur un lit de feuilles. Cela maintenait la température du nid constante et facilitait l'éclosion des œufs.*
Les repas *Les nourrissons réclamaient leur pitance. Ils devaient attendre plusieurs semaines avant de quitter le nid et chercher eux-mêmes leur nourriture, sous la surveillance des parents.*
L'éclosion *Pour éclore, le petit dinosaure cognait avec son museau sur la surface intérieure de l'œuf, jusqu'à ce qu'il se fissure. Une fois éclos, le nouveau-né était sans défense.*

Records de dinosaures

Durant leurs 160 millions d'années de présence sur Terre, les dinosaures comptèrent les animaux les plus gros, les plus lourds et les plus longs ayant jamais existé. Le *Seismosaurus*, par exemple, était aussi long qu'une file de dix voitures et aussi haut qu'un immeuble de cinq étages. Le sol devait trembler quand il se déplaçait. Il appartenait pourtant à la même famille que certains dinosaures mangeurs d'insectes, de la taille d'un poulet. Le record du nom le plus long est détenu par le plus petit herbivore : le *Micropachycephalosaurus*.

Des griffes terribles

Le Therizinosaurus *saisissait ses proies à l'aide des plus longues griffes ayant jamais existé. En revanche, les griffes des pattes arrière du* Deinonychus *n'étaient guère plus longues que celles d'un aigle commun.*

Aigle moderne
Serres de 13 cm de long

Therizinosaurus
Griffes de 91 cm de long

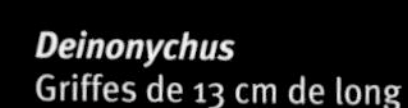

Deinonychus
Griffes de 13 cm de long

Le basset
1,2 m de long et 0,6 m de haut

Le *Velociraptor*
1,8 m de long et 0,6 m de haut

Un dinosaure dans la moyenne

Bien que les dinosaures soient réputés pour leurs proportions étonnantes, la majorité d'entre eux étaient loin d'être aussi gigantesques que le *Seismosaurus* ou le *Giganotosaurus*. La plupart étaient même plutôt menus, à l'image du *Velociraptor*, dont la taille adulte égalait celle d'un basset.

Petits et grands

Le plus grand dinosaure carnivore dont le squelette ait jamais été identifié était le *Giganotosaurus*. C'était pourtant un nain, comparé aux sauropodes herbivores. Le plus long était sans doute le sauropode *Seismosaurus*. À l'autre bout de l'échelle, le *Micropachycephalosaurus* ne mesurait pas plus de 50 cm.

Girafe moderne
5,5 m de haut

Garçon de 12 ans
1,4 m de haut

L'animal terrestre actuel le plus lourd est l'éléphant d'Afrique. Son poids correspond à peu près à celui d'un *Tyrannosaurus*, et excède largement celui de dinosaures de tailles plus modestes, comme le *Protoceratops*. En revanche, il aurait fallu 17 éléphants pour faire contrepoids à un herbivore géant tel que l'*Argentinosaurus*.

15 *Protoceratops* = 1 éléphant d'Afrique
(400 kg chacun) 6 tonnes

1 *Tyrannosaurus* = 1 éléphant d'Afrique
6 tonnes 6 tonnes

1 *Argentinosaurus* = 17 éléphants d'Afrique
102 tonnes (6 tonnes chacun)

HERBIVORES ET CARNIVORES

Comme dans toute chaîne alimentaire, il y avait plus d'herbivores que de carnivores. D'après les fossiles trouvés, 65 % des dinosaures se nourrissaient de plantes. Une fourchette basse qu'un décompte réel aurait permis de réévaluer.

Herbivores 65 % Carnivores 35 %

Le dinosaure le plus long
Seismosaurus
45 m de long et 5,5 m de haut aux épaules

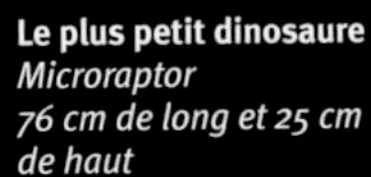

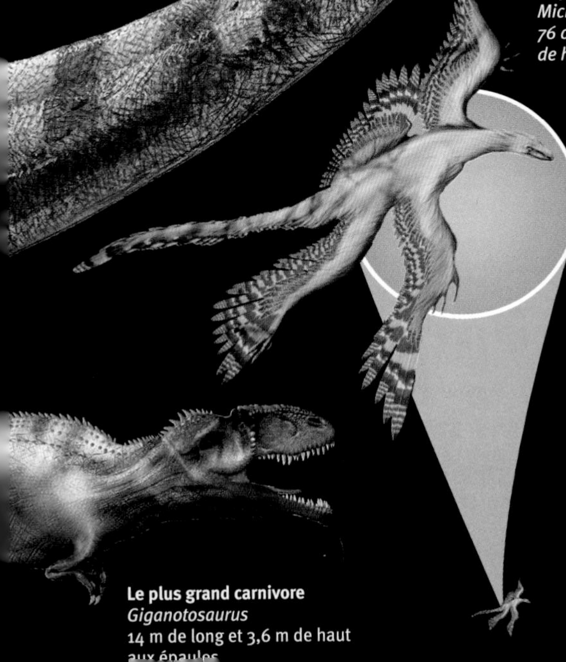

Le plus petit dinosaure
Microraptor
76 cm de long et 25 cm de haut

Le plus grand carnivore
Giganotosaurus
14 m de long et 3,6 m de haut aux épaules

Le Velociraptor *était l'un des dinosaures les plus intelligents : bien plus intelligent qu'un crocodile, mais bien moins qu'un oiseau ou un mammifère !*

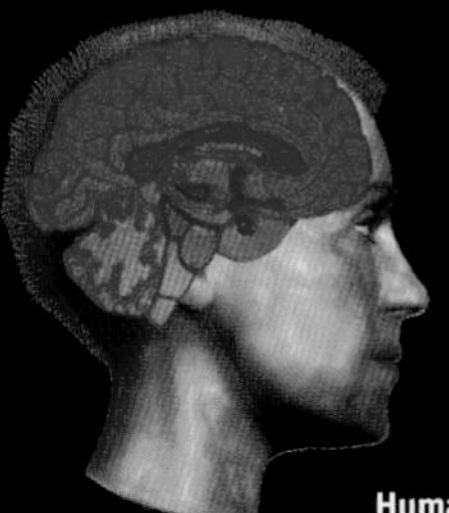

Humain La plus intelligente des espèces connues.

Velociraptor Le plus futé des dinosaures, après le Troodon.

Stegosaurus était un dinosaure lent d'esprit et l'un des dinosaures les moins intelligents.

PLEIN LA TÊTE

L'intelligence des dinosaures peut être évaluée en comparant la taille de leur cerveau à celle de leur corps. Cela produit un chiffre : le QE, ou quotient encéphalique. Les dinosaures les plus malins étaient les petits carnivores rapides de la fin du Crétacé, tels que le *Troodon*. Leur intelligence était comparable à celle d'une autruche moderne et supérieure à celle d'un crocodile. Les herbivores étaient dotés de petits cerveaux.

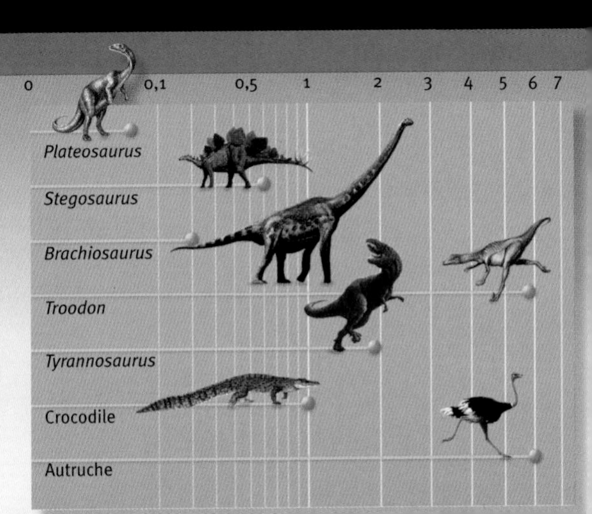

Des os à la pierre

Les fossiles

Tout ce que nous savons sur les dinosaures, nous le devons aux fossiles. Hélas, ces derniers sont très rares, car, pour qu'il y ait fossilisation, il fallait qu'un dinosaure soit enseveli avant de se décomposer ou d'être mangé par un charognard. Si un dinosaure mourait dans une rivière, un lac ou à proximité, son corps avait une chance d'être rapidement recouvert de vase et de sable. Mais la plupart du temps les chairs pourrissaient, et seuls les os et les dents se transformaient en fossiles. Quand, par chance, le dinosaure était recouvert de cendres ou de boue, son fossile conservait quelquefois une trace de ses plumes ou de sa peau. Dans des cas très rares, les organes furent conservés par les bactéries. Enfin, on trouve à l'état fossile de nombreux excréments et traces de pas.

Une lutte à mort
Il y a 70 millions d'années, quelque part en Mongolie, un *Velociraptor* affrontait un *Protoceratops* quand une dune s'abattit sur eux, tuant sur le coup les deux dinosaures et les ensevelissant.

Il y a 70 millions d'années *Une dune de sable humide s'effondre sur les combattants. Ensevelis sous l'épaisse couche de sable, leur chair et leurs organes se décomposent, mais leurs squelettes sont parfaitement conservés*

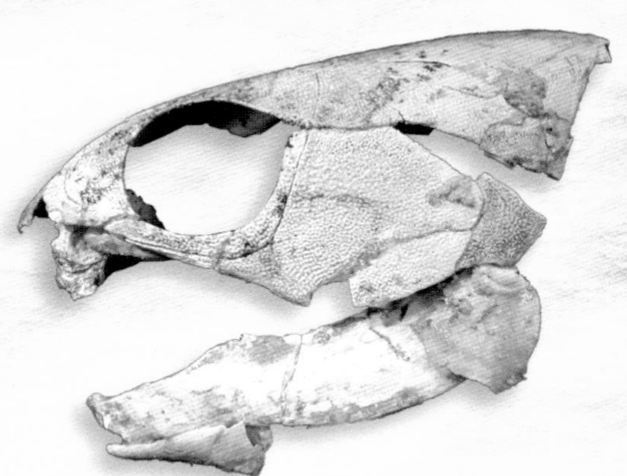

D'autres types de fossiles
Le crâne de ce poisson, vieux de 380 millions d'années, fut pris dans le calcaire juste après la mort de l'animal. Le calcaire a été dissous à l'acide par les chercheurs, dégageant parfaitement ce fossile en trois dimensions.

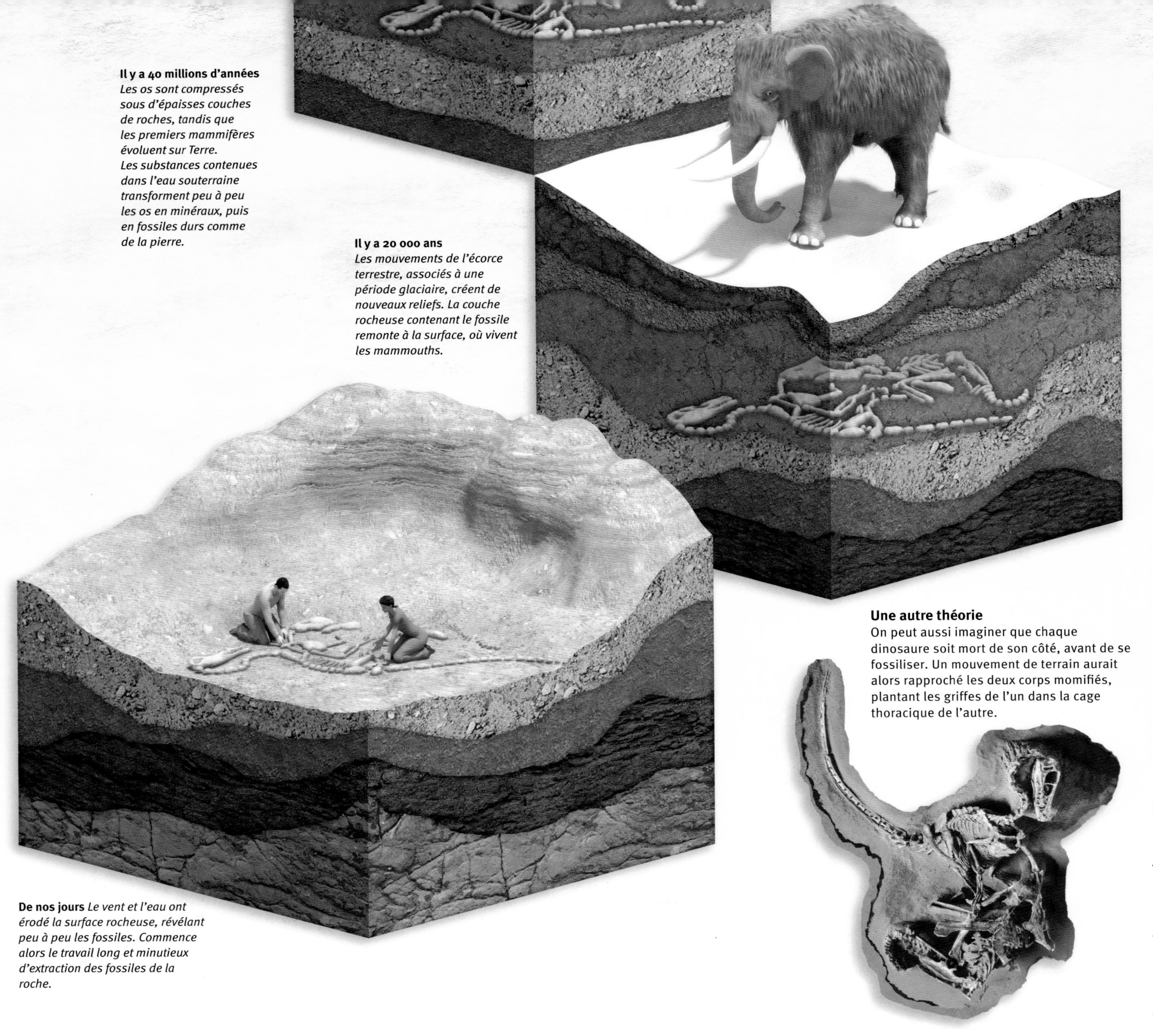

Il y a 40 millions d'années *Les os sont compressés sous d'épaisses couches de roches, tandis que les premiers mammifères évoluent sur Terre. Les substances contenues dans l'eau souterraine transforment peu à peu les os en minéraux, puis en fossiles durs comme de la pierre.*

Il y a 20 000 ans *Les mouvements de l'écorce terrestre, associés à une période glaciaire, créent de nouveaux reliefs. La couche rocheuse contenant le fossile remonte à la surface, où vivent les mammouths.*

De nos jours *Le vent et l'eau ont érodé la surface rocheuse, révélant peu à peu les fossiles. Commence alors le travail long et minutieux d'extraction des fossiles de la roche.*

Une autre théorie
On peut aussi imaginer que chaque dinosaure soit mort de son côté, avant de se fossiliser. Un mouvement de terrain aurait alors rapproché les deux corps momifiés, plantant les griffes de l'un dans la cage thoracique de l'autre.

Lire les indices

L'étude des dinosaures repose sur celle de leurs fossiles. Leurs os nous donnent des indications sur leur physionomie mais aussi sur le fonctionnement de leurs articulations et de leurs mâchoires. Leurs empreintes nous révèlent s'ils couraient vite ou s'ils vivaient en troupeaux. Les fossiles de peau laissent supposer que certains étaient couverts de plaques osseuses, d'autres de plumes ou de peau de reptile. Les nids et les œufs nous renseignent sur les soins qu'ils apportaient à leurs petits. Les fossiles végétaux nous permettent de reconstituer leur environnement.

Selles fossiles
Les coprolithes sont des excréments fossilisés. Leur composition indique le régime alimentaire de l'animal.

Crête *Le dos était surmonté par une crête de petites excroissances de chair, le long de la colonne vertébrale.*

Un fossile original
Leonardo fut découvert en juillet 2000 par un chercheur amateur à Malta, dans le Montana. L'été suivant, un bloc fut taillé dans la roche pour en extraire l'ensemble du fossile et l'étudier.

Ce croquis représente le squelette de Leonardo. Ces illustrations sont utilisées pour répertorier les fossiles découverts.

Masse musculaire
Les quelques muscles et articulations conservés nous permettent de comprendre comment fonctionnaient ses membres.

Empreintes fossiles
Les traces de pas fossilisées nous indiquent la taille et le poids approximatifs du dinosaure, ainsi que sa démarche. La distance entre les pas révèle s'il marchait et s'il courait plus ou moins vite.

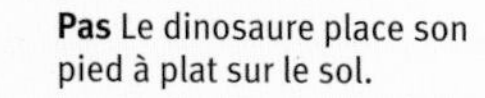

1 **Pas** Le dinosaure place son pied à plat sur le sol.

2 **Trou** Le pied s'est enfoncé dans le sol.

3 **Effleurement** Le pied décolle du sol et laisse une trace légère.

Empreinte La terre meuble durcit et l'empreinte se transforme en pierre.

Reconstruire Leonardo

Leonardo le *Brachylophosaurus* est un dinosaure momifié. 90 % de son squelette a été fossilisé. On a retrouvé des moulages de sa peau, de ses muscles, de sa langue, de certains organes internes et de ses traces de pas. Les plantes fossilisées découvertes dans son estomac attestent le menu de son dernier repas.

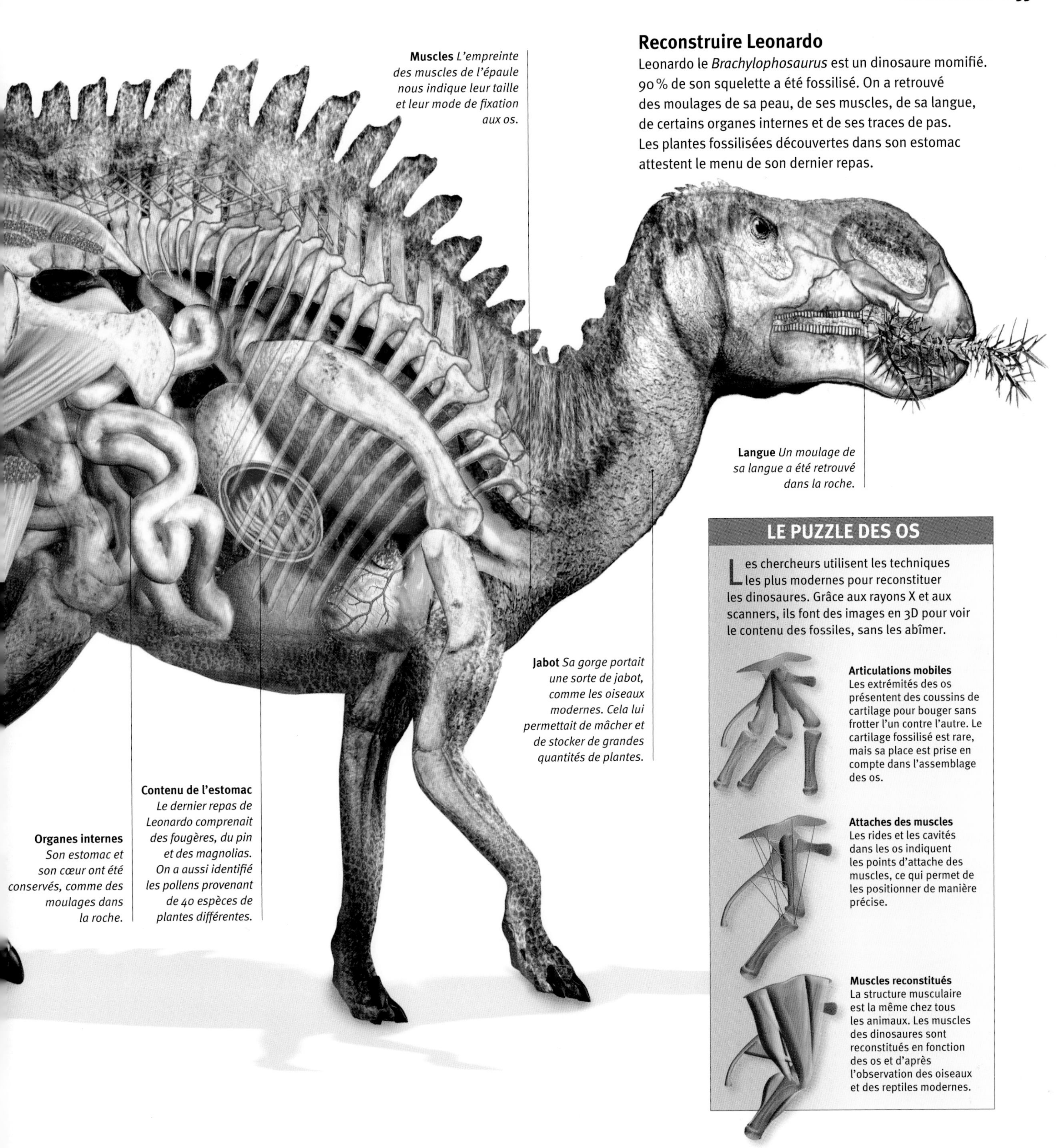

LE PUZZLE DES OS

Les chercheurs utilisent les techniques les plus modernes pour reconstituer les dinosaures. Grâce aux rayons X et aux scanners, ils font des images en 3D pour voir le contenu des fossiles, sans les abîmer.

Articulations mobiles
Les extrémités des os présentent des coussins de cartilage pour bouger sans frotter l'un contre l'autre. Le cartilage fossilisé est rare, mais sa place est prise en compte dans l'assemblage des os.

Attaches des muscles
Les rides et les cavités dans les os indiquent les points d'attache des muscles, ce qui permet de les positionner de manière précise.

Muscles reconstitués
La structure musculaire est la même chez tous les animaux. Les muscles des dinosaures sont reconstitués en fonction des os et d'après l'observation des oiseaux et des reptiles modernes.

Dinosaures

Les paléontologues étudient les fossiles pour être à même de reconstituer l'environnement et la vie sur Terre. Après les avoir extraits du sol, ils les préparent et les observent à l'aide de microscopes, de rayons X et de diverses autres techniques. Leur métier ne se borne pas à publier des rapports sur leurs découvertes, mais consiste aussi à faire des conférences dans les musées et à diffuser leur savoir dans des documentaires ou des livres. Pour dénicher les fossiles, les paléontologues passent les cartes géologiques de certaines régions au peigne fin. Avant d'aller sur le terrain, ils repèrent les zones dont les roches sont favorables à la formation des fossiles.

UNE NOUVELLE VISION

Le premier dinosaure découvert, en 1822, fut l'*Iguanodon*. L'interprétation qui en fut faite nous montre à quel point notre vision des dinosaures a évolué.

Iguane Les chercheurs lui donnèrent d'abord les traits d'un iguane géant, car sa denture ressemblait à celle de l'iguane.

Dragon Cette reconstitution des années 1880 assimile l'*Iguanodon* à un dragon de conte de fées.

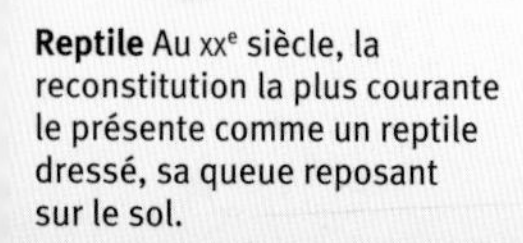

Reptile Au XXe siècle, la reconstitution la plus courante le présente comme un reptile dressé, sa queue reposant sur le sol.

Iguanodon La représentation actuelle, basée sur l'étude du squelette, des muscles et des ligaments, le montre sur ses quatre pattes et la queue dressée.

Des os factices *Les os des dinosaures sont dupliqués à l'aide de moulages en silicone. Ce moule est ensuite rempli de résine ou de fibres de verre. Ces répliques sont plus légères et plus faciles à manipuler lors de l'assemblage.*

Os en suspension *Les dinosaures étant souvent de grande taille, le squelette doit être soutenu depuis le plafond, à l'aide de câbles, pour ne pas risquer de bouger.*

Copie conforme

La plupart des squelettes de dinosaures exposés dans les musées sont des répliques. Cela permet de préserver les os originaux et de les étudier. Quelques rares musées présentent les squelettes originaux. Les os manquants sont remplacés par des pièces provenant d'autres dinosaures similaires.

Soutenu par des cadres *Pour que le squelette tienne sur le sol, des cadres métalliques supportent les os les plus lourds, ou leurs répliques, ainsi que les vertèbres.*

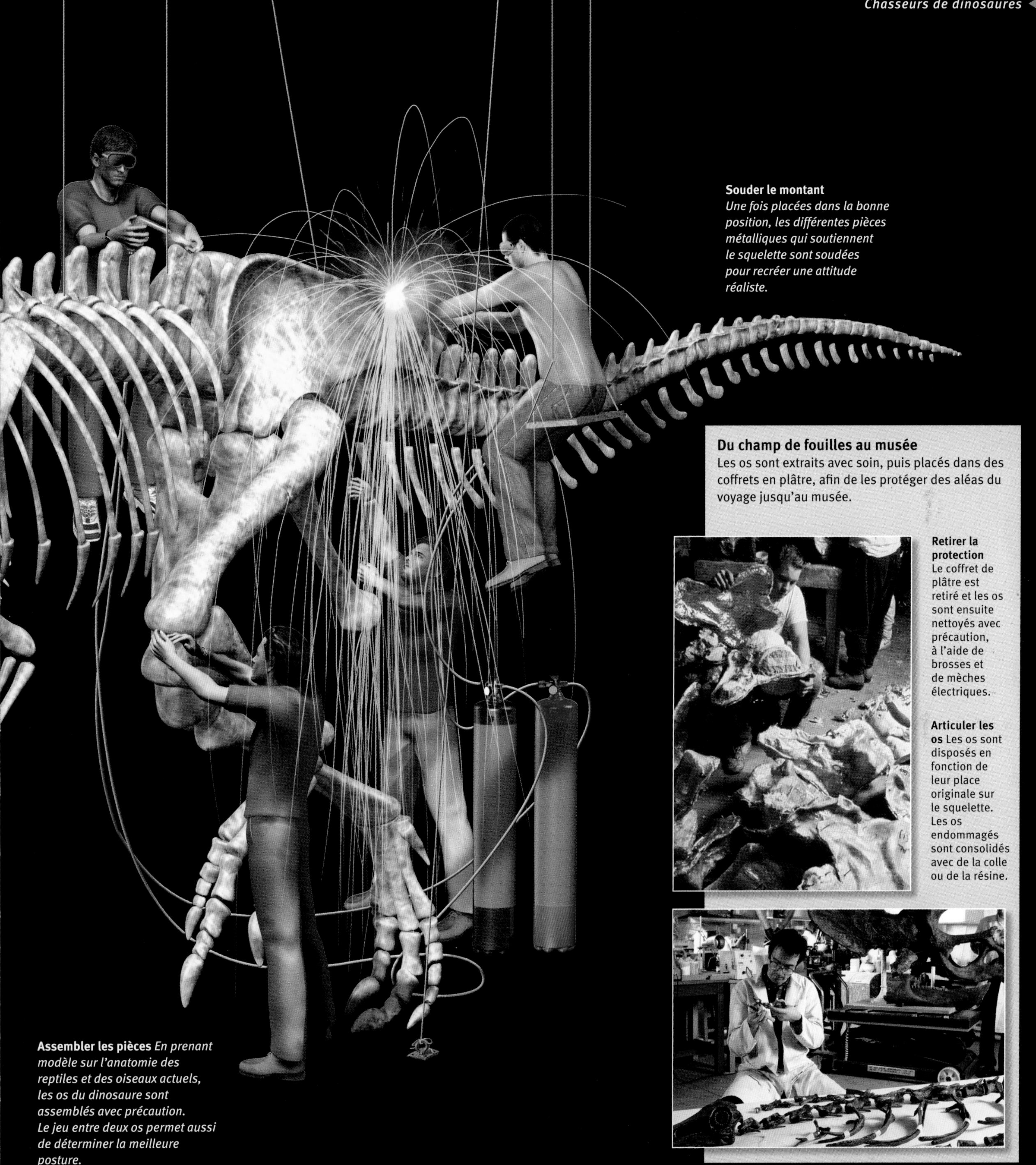

Souder le montant
Une fois placées dans la bonne position, les différentes pièces métalliques qui soutiennent le squelette sont soudées pour recréer une attitude réaliste.

Assembler les pièces *En prenant modèle sur l'anatomie des reptiles et des oiseaux actuels, les os du dinosaure sont assemblés avec précaution. Le jeu entre deux os permet aussi de déterminer la meilleure posture.*

Du champ de fouilles au musée

Les os sont extraits avec soin, puis placés dans des coffrets en plâtre, afin de les protéger des aléas du voyage jusqu'au musée.

Retirer la protection Le coffret de plâtre est retiré et les os sont ensuite nettoyés avec précaution, à l'aide de brosses et de mèches électriques.

Articuler les os Les os sont disposés en fonction de leur place originale sur le squelette. Les os endommagés sont consolidés avec de la colle ou de la résine.

Cartes de position Ces cartes indiquent précisément où vivait le dinosaure évoqué. Cherche les points rouges sur la carte.

TRICERATOPS: FAITS ET CHIFFRES

PRONONCIATION : Tri-sé-ra-tops
SIGNIFICATION : tête à trois cornes
PÉRIODE : fin du Crétacé
GROUPE : ornithischiens
ALIMENTATION : plantes
TAILLE : 9 m de long; 3 m de haut
POIDS : 5,4 tonnes
DÉCOUVERTE : en 1888 par John Bell Hatcher
CHAMPS DE FOSSILES: ouest des États-Unis et du Canada

Faits et chiffres En un clin d'œil, les informations essentielles sur chaque dinosaure.

Échelle du temps Cette échelle du temps indique quand vivait chaque type de dinosaure. Elle s'étend du Trias jusqu'au Crétacé.

Zoom sur

245 Ma

TRIAS

208 Ma

JURASSIQUE

150 Ma

144 Ma

CRÉTACÉ

65 Ma

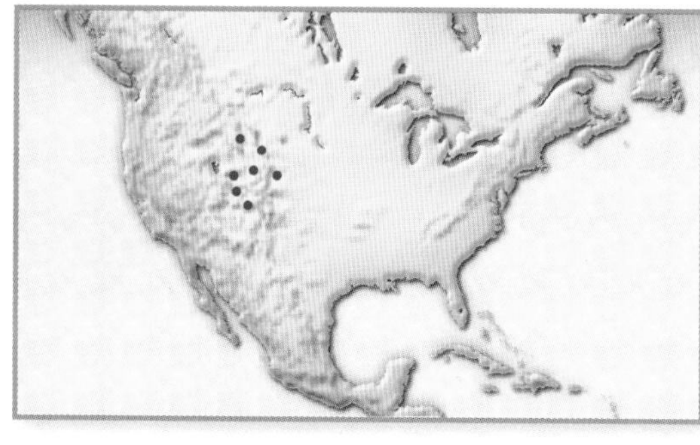

ALLOSAURUS : FAITS ET CHIFFRES

PRONONCIATION : Al-oh-zo-rus

SIGNIFICATION : autre lézard, lézard étrange

PÉRIODE : fin du Jurassique

GROUPE : théropodes

ALIMENTATION : carnivore

TAILLE : 12 m de long, 3 m de haut

POIDS : 1–1,7 tonne

DÉCOUVERTE : en 1869 par le Dr Ferdinand Hayden

CHAMPS DE FOSSILES : ouest des États-Unis

L'*Allosaurus*, un cauchemar de dragon

L'*Allosaurus* était le plus gros dinosaure et l'un des carnivores les plus répandus en Amérique du Nord, à la fin du Jurassique. Il avait toutes les caractéristiques d'un prédateur efficace : os du crâne légers ; dents larges et courbées, crénelées de chaque côté ; pattes avant et arrière puissantes. Il vivait à proximité des sauropodes géants, tels que le *Diplodocus*, qui composaient sans doute d'ailleurs ses repas. Les *Allosaurus* les attaquaient en meutes. Lors des combats entre rivaux, les grands mâles se servaient sans doute de leurs petites cornes situées au-dessus de leurs yeux. Les premiers fossiles furent baptisés *Antrodemus*, c'est-à-dire « dragon de cauchemar ». Ce nom n'est plus utilisé de nos jours.

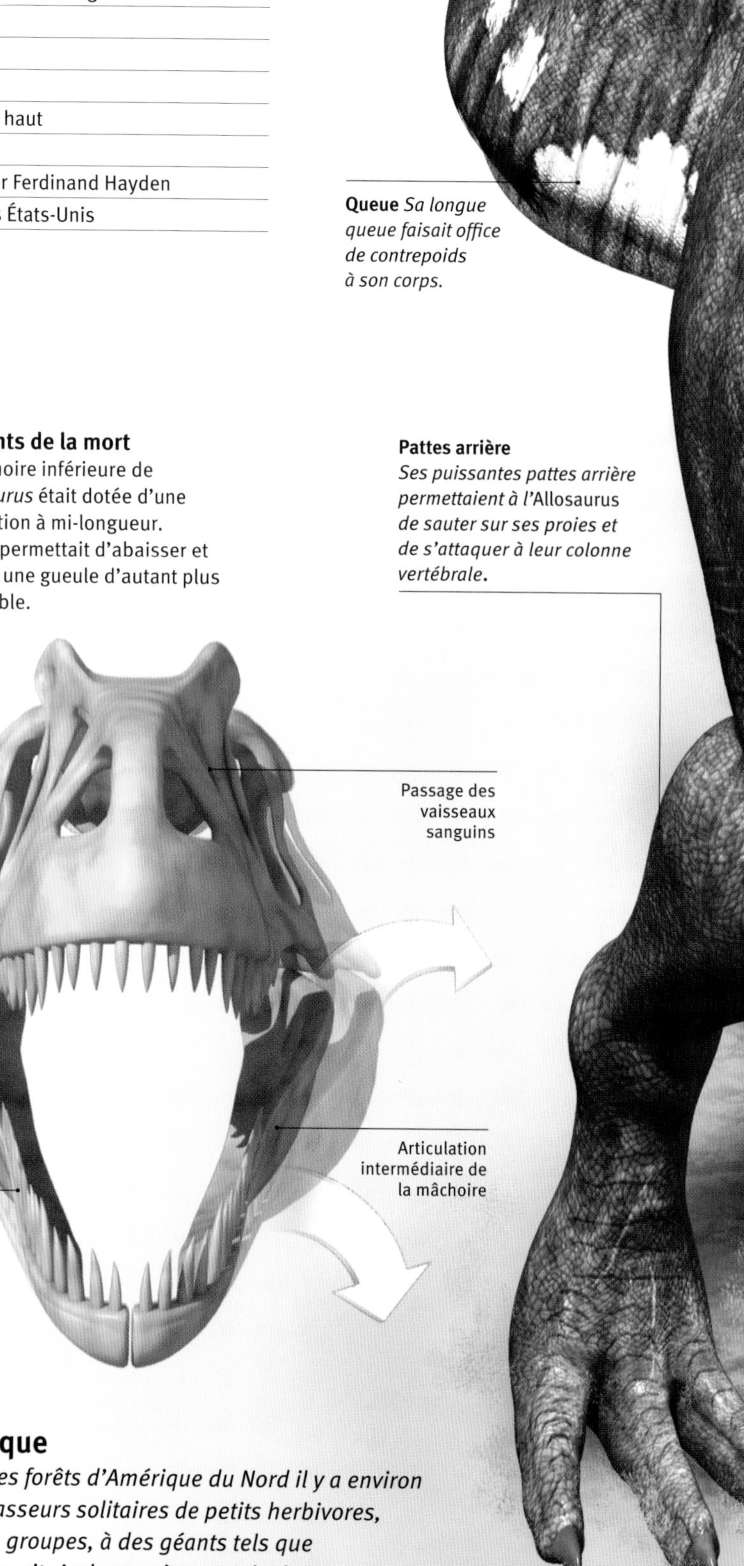

Queue *Sa longue queue faisait office de contrepoids à son corps.*

Les dents de la mort
La mâchoire inférieure de l'*Allosaurus* était dotée d'une articulation à mi-longueur. Cela lui permettait d'abaisser et d'ouvrir une gueule d'autant plus redoutable.

Pattes arrière
*Ses puissantes pattes arrière permettaient à l'*Allosaurus* de sauter sur ses proies et de s'attaquer à leur colonne vertébrale.*

Passage des vaisseaux sanguins

Articulation de la mâchoire

Articulation intermédiaire de la mâchoire

Dents plates et crénelées

À titre de comparaison
L'*Allosaurus* était trois fois plus haut qu'un enfant de 10 ans, et environ neuf fois plus long.

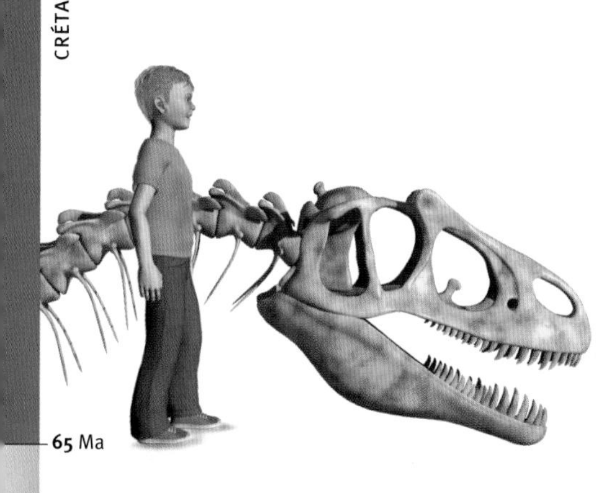

Les loups du Jurassique

Les Allosaurus *hantèrent les forêts d'Amérique du Nord il y a environ 150 millions d'années. Chasseurs solitaires de petits herbivores, il s'attaquaient parfois, en groupes, à des géants tels que le* Diplodocus. *La meute devait s'acharner à coups de dents et de griffes pour parvenir à abattre l'énorme proie.*

Né pour mordre
Son large crâne, composé d'os légers, lui permettait d'ouvrir très grand la gueule et d'infliger des morsures mortelles.
Attention danger
Mâchoires flexibles et rangées de dents redoutables : l'Allosaurus était capable de scier la chair de ses proies.
Déchirures
Ses bras musculeux s'agrippaient à sa proie tandis qu'il la lacérait de ses dents et de ses griffes.
Camptosaurus *C'était un grand herbivore de la fin du Jurassique... et sûrement aussi l'une des proies préférées de l'Allosaurus.*

245 Ma
TRIAS
208 Ma
JURASSIQUE
156 Ma
150 Ma
144 Ma
CRÉTACÉ
65 Ma

ARCHAEOPTERYX : FAITS ET CHIFFRES

PRONONCIATION : Ark-é-op-té-rix
SIGNIFICATION : les ailes anciennes
PÉRIODE : fin du Jurassique
GROUPE : théropodes
ALIMENTATION : carnivore (insectes, poissons)
TAILLE : 60 cm de long ; 20 cm de haut
POIDS : 200 g
DÉCOUVERTE : en 1861 par des ouvriers des carrières
CHAMPS DE FOSSILES : sud de l'Allemagne

Cerveau d'oiseau
*Le cerveau de l'*Archaeopteryx *était plus gros que celui des autres Théropodes, sans doute pour traiter les nombreuses informations liées au vol.*

L'*Archaeopteryx* et les ancêtres des oiseaux

L'*Archaeopteryx* a longtemps été considéré comme le premier oiseau. Mais, si ses fossiles révèlent bien des ailes et des plumes, son squelette s'apparente pourtant à celui des théropodes, tels que le *Velociraptor*. Son bec était étroit et denté, et ses yeux avaient de larges orbites. Ses os, légers et creux, ainsi que les plumes de ses pattes et de sa queue ressemblaient à ceux d'un oiseau actuel. Ses ailes étaient formées par ses pattes dont ressortaient les os de ses doigts. Sa queue était celle d'un reptile. L'*Archaeopteryx* vivait en bord de mer et chassait les insectes et les petits poissons.

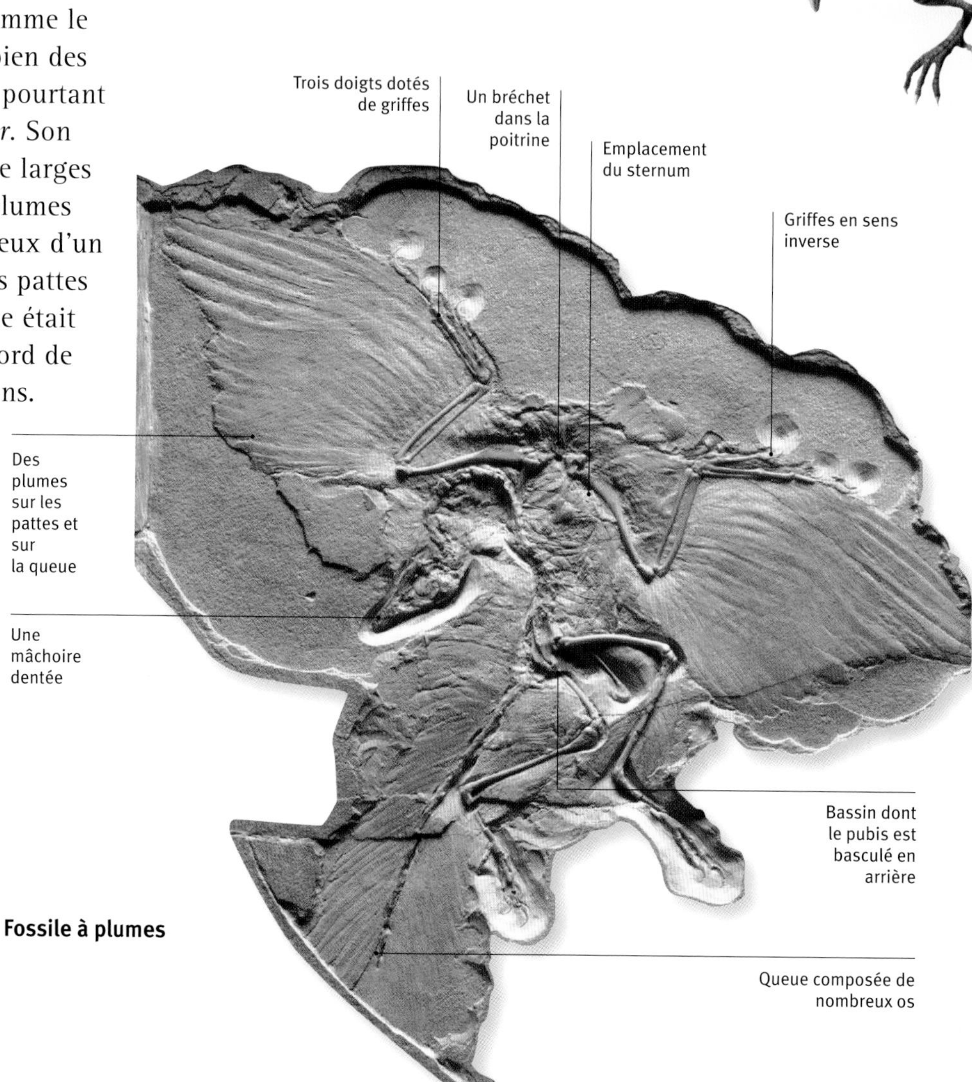

Fossile à plumes

À titre de comparaison
Plus gros et plus long qu'un pigeon, l'*Archaeopteryx* était bien plus petit qu'un enfant de 10 ans.

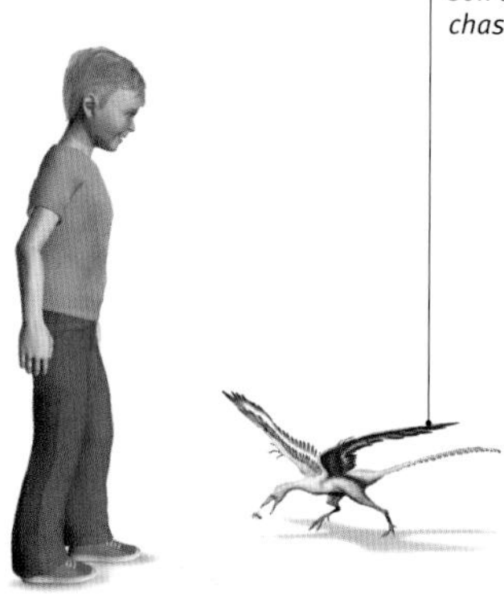

Chasse à terre
*L'*Archaeopteryx *passait le plus clair de son temps sur le sol, à chasser des insectes.*

Dans le nid
*Comme tous les dinosaures, l'*Archaeopteryx *couvait ses œufs dans un nid, sans doute perché dans les arbres.*

Les plumes de l'envol

*L'*Archaeopteryx *vivait le plus clair de son temps à terre. Il s'envolait parfois, courant et battant des ailes jusqu'à atteindre une vitesse suffisante. Trop faible pour voler très longtemps, il se laissait surtout planer.*

Grimper aux arbres
Il utilisait les griffes de ses ailes pour grimper aux arbres, puis se jetait du sommet pour planer.

Un battement d'ailes
À la poursuite d'insectes, il pouvait voler sur de courtes distances, grâce à quelques battements d'ailes.

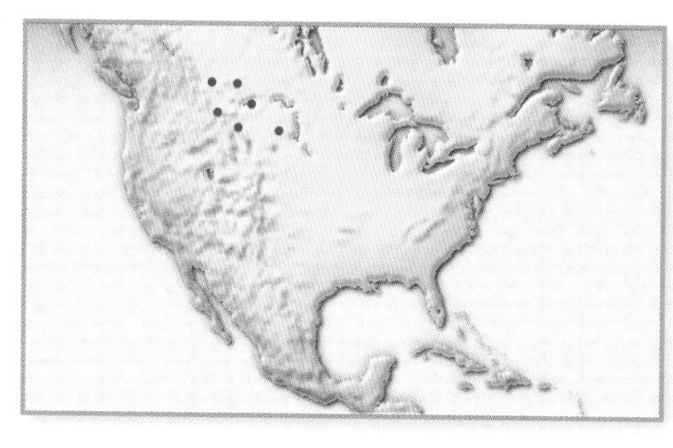

TYRANNOSAURUS : FAITS ET CHIFFRES
PRONONCIATION : Ti-ra-no-zo-rus
SIGNIFICATION : le lézard tyran
PÉRIODE : fin du Crétacé
GROUPE : théropodes
ALIMENTATION : carnivore
TAILLE : 13 m de long, 5 m de haut
POIDS : 5 tonnes
DÉCOUVERTE : en 1905 par Henry Osborn
CHAMPS DE FOSSILES : nord des États-Unis et sud du Canada

Le roi des charognards
Le Tyrannosaurus *se nourrissait autant de chasse que de charognes. On le voit ici se régaler de la carcasse d'un* Edmontosaurus, *tout en éloignant un groupe de* Troodon.

Le *Tyrannosaurus*

Le roi tyran

Avec ses quelque 13 m de long, le *Tyrannosaurus* fut l'un des plus gros carnivores de son époque. Il était doté d'une vue excellente, de puissantes mâchoires, de redoutables dents crénelées, de pattes très robustes et de griffes tranchantes. Seules ses pattes avant, munies de deux doigts, étaient chétives. Il était capable de s'attaquer à des proies aussi imposantes que les hadrosaures. Ce chasseur était également un charognard : il repérait les cadavres grâce à un odorat très fin. L'étude de ses os a révélé qu'il pouvait courir jusqu'à 17 km/h, assez vite pour surprendre ses proies, ou attaquer les lents troupeaux de *Triceratops*.

CROISSANCE ACCÉLÉRÉE

La croissance du Tyrannosaurus *s'accélérait à l'adolescence, entre 14 et 18 ans. Il atteignait sa taille adulte à 20 ans, et vivait environ 30 ans.*

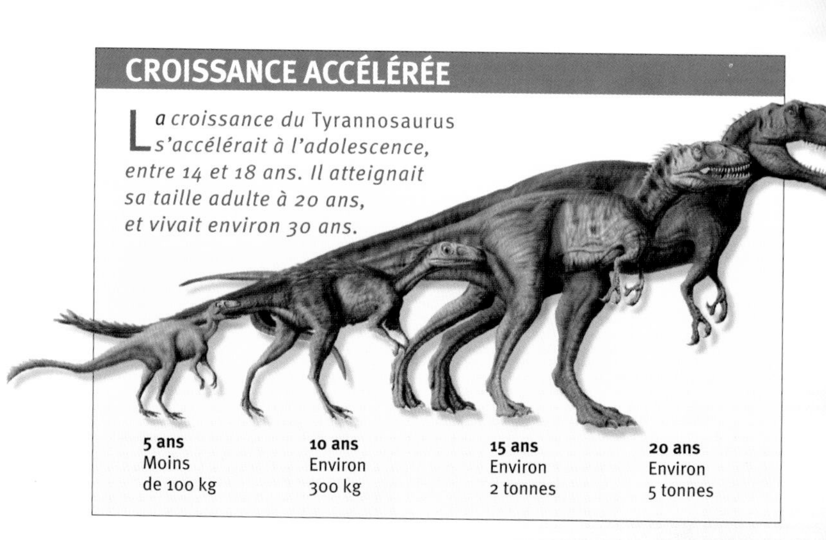

À titre de comparaison
Le plus gros crâne retrouvé mesure 1,4 m de long, soit la taille d'un enfant de 10 ans.

Mâchoire brise-tout
Les muscles puissants qui entouraient la mâchoire du Tyrannosaurus lui permettaient de broyer les os de sa victime. Des éclats d'os ont d'ailleurs été retrouvés dans ses selles fossilisées.

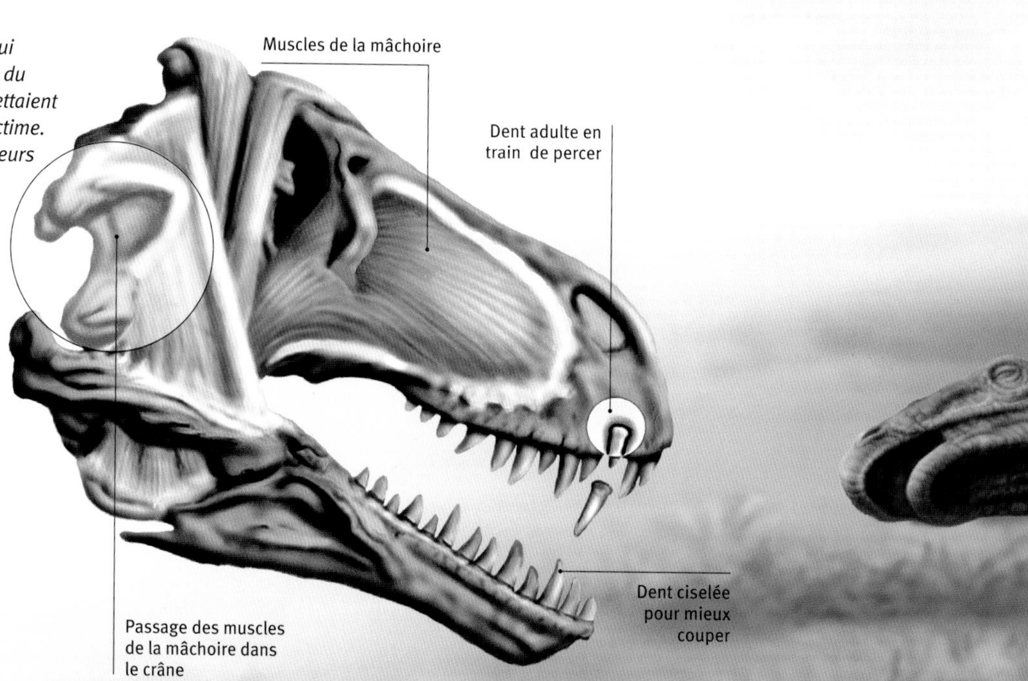

Yeux
Ses yeux orientés vers l'avant lui donnaient un large champ de vision, ce qui lui permettait d'évaluer précisément la distance le séparant de sa proie.
Narines *Ses larges narines comprenaient un os spécifique, qui évitait l'écoulement de sécrétions après la course.*
Dents *Ses énormes dents étaient crénelées afin de découper au mieux les chairs. Sa mâchoire puissante broyait les os de ses proies.*
Deux doigts seulement
Ses bras courts et faibles s'achevaient sur deux doigts à chaque patte.
Pattes arrière *Ses pattes arrière étaient très puissantes, mais pas assez pour courir très vite sans risquer de chuter.*
Troodon *Ce théropode de 3 m de long avait un assez gros cerveau pour sa taille. Il chassait ou dépouillait les cadavres en bandes.*
Edmontosaurus
Ce grand hadrosaure herbivore vivait en troupeaux pour essayer de résister à ses prédateurs.

245 Ma
TRIAS
208 Ma
JURASSIQUE
144 Ma
CRÉTACÉ
67 Ma
65 Ma

***STRUTHIOMIMUS* : FAITS ET CHIFFRES**

PRONONCIATION : Stru-ti-o-mi-mus
SIGNIFICATION : semblable à une autruche
PÉRIODE : fin du Crétacé
GROUPE : théropodes
ALIMENTATION : omnivore (petites proies, insectes, plantes)
TAILLE : 4 m de long, 2 m de haut
POIDS : 150 kg
DÉCOUVERTE : en 1902 par Lawrence Lambe
CHAMPS DE FOSSILES : sud du Canada

Le *Struthiomimus*, alias l'autruche

Théropode de constitution légère, le *Struthiomimus* possédait un long cou, une petite tête, de grands yeux, des bras menus et des pattes très puissantes. Dépourvu de dents et sans griffes vraiment menaçantes, son principal atout pour échapper aux prédateurs était sa pointe de vitesse : il pouvait atteindre 50 km/h. Sa mâchoire délicate et sans dents laisse supposer qu'il se nourrissait d'insectes, de petits lézards et d'œufs. Les fossiles de son appareil digestif ont montré qu'il consommait aussi des plantes et des graines. Ses longues pattes et ses griffes courbées devaient l'aider à fouiller le sol à la recherche d'œufs ou de petites proies, mais aussi à cueillir des feuilles haut perchées.

Une meule dans l'estomac
Privé de dents, le Struthiomimus *avalait des pierres afin d'écraser les graines et les plantes dans son estomac. Certains oiseaux modernes utilisent encore cette technique.*

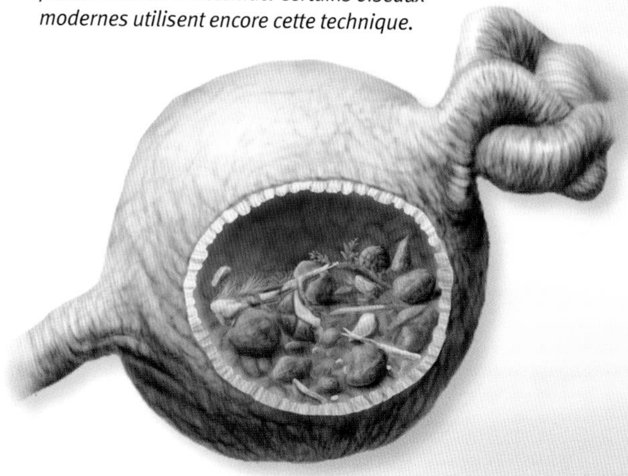

À titre de comparaison
Le *Struthiomimus* était presque deux fois plus grand qu'un enfant de 10 ans.

NÉ POUR LA COURSE

Le corps du *Struthiomimus*, comme celui de l'autruche moderne, était fait pour la vitesse : une longue queue très fine pour contrebalancer son poids, des jambes longues et puissantes.

Athlète
Vitesse maximale : 43 km/h.

Struthiomimus
Vitesse maximale : 50 km/h.

Autruche
Vitesse maximale : 50 km/h.

Mange-tout

Le Struthiomimus *vivait plus ou moins comme une autruche moderne, fuyant les prédateurs à toutes jambes. Son alimentation était très variée et comprenait notamment de petits animaux, des insectes, des œufs et certains végétaux.*

245 Ma

TRIAS

PLATEOSAURUS : FAITS ET CHIFFRES
PRONONCIATION : Pla-té-o-zo-rus
SIGNIFICATION : lézard plat
PÉRIODE : fin du Trias
GROUPE : prosauropodes
ALIMENTATION : herbivore
TAILLE : 10 m de long ; 3 m de haut
POIDS : 4 tonnes
DÉCOUVERTE : en 1837 par Hermann von Meyer
CHAMPS DE FOSSILES : Allemagne, France, Suisse

208 Ma

200 Ma

Le *Plateosaurus*

Le géant doux

JURASSIQUE

Figurant parmi les premiers grands herbivores, le *Plateosaurus* vivait en troupeaux, en Europe, à la fin du Trias. Doté d'un long cou, sa petite tête coiffait un corps robuste, soutenu par des pattes puissantes. Il attrapait les végétaux avec ses petites pattes et les mâchait à l'aide de ses dents ciselées, en forme de feuille. Sa taille variait de 5 m à 10 m selon le climat. Les griffes de ses pattes avant, ainsi que celles, plus larges, de ses pattes arrière, constituaient ses meilleures armes contre les prédateurs. On connaît bien ce dinosaure primitif du Trias, grâce aux nombreux squelettes retrouvés en Allemagne.

Pelvis en forme de batte
Les os plats de son pelvis soutenaient ses énormes viscères, conçus pour la digestion des plantes. Ils offraient aussi un appui à sa longue queue et aux muscles de ses pattes.

Une dent en forme de piquet
Ses dents en forme de feuille présentaient de chaque côté une arête en dents de scie, idéale pour couper les végétaux les plus résistants.

144 Ma

À titre de comparaison
Le *Plateosaurus* était deux fois plus grand qu'un enfant de 10 ans et environ six fois plus long.

Géant en son temps
Le *Plateosaurus* fut probablement l'un des plus grands dinosaures du Trias, mais il fait figure de nain face aux sauropodes géants du Jurassique.

CRÉTACÉ

65 Ma

Le *Plateosaurus*, 10 m ; il vécut en Europe et au Groenland à la fin du Trias.

Le *Coelophysis*, 3 m ; il vécut en Amérique du Nord à la fin du Trias.

L'*Eoraptor*, 1 m ; il vécut en Argentine, au milieu du Trias.

La vie en troupeaux

Le *Plateosaurus* vivait en grands troupeaux de 60 à 100 têtes, et se déplaçait principalement sur ses quatre pattes. Il se dressait parfois sur ses pattes arrière pour atteindre les feuilles les plus hautes, ou pour se défendre de ses agresseurs.

245 Ma

TRIAS

208 Ma

JURASSIQUE

150 Ma

144 Ma

CRÉTACÉ

65 Ma

DIPLODOCUS : FAITS ET CHIFFRES
PRONONCIATION : Di-plo-do-kus
SIGNIFICATION : double poutre (d'après ses vertèbres)
PÉRIODE : fin du Jurassique
GROUPE : sauropodes
ALIMENTATION : herbivore
TAILLE : 27 m de long ; 5 m de haut
POIDS : 10-12 tonnes
DÉCOUVERTE : en 1878 par Charles Marsh
CHAMPS DE FOSSILES : États-Unis (Wyoming, Colorado, Utah)

Une queue qui claque

Certains chercheurs croient que le *Diplodocus* utilisait sa queue pour fouetter ou frapper ses agresseurs. Ce faisant, celle-ci devait produire un bruit qui effrayait nombre d'entre eux.

Le *Diplodocus* et son fouet

Le *Diplodocus* est l'un des plus grands dinosaures recensés. Après avoir longtemps supposé qu'il laissait traîner sa queue sur le sol, on sait désormais qu'il la maintenait en l'air, grâce à de puissants tendons. Son cou et sa très longue queue étaient couronnés par de courtes piques. Sa gueule, de taille réduite, contenait sur le devant des dents en pointe, dont il se servait pour arracher les feuilles des arbres. Son énorme ventre était soutenu par des côtes ouvertes, de sorte que son estomac puisse se dilater lorsqu'il était repu. Pour se défendre, le *Diplodocus* se servait de ses larges griffes, mais surtout de sa queue avec laquelle il frappait ses agresseurs.

SAUROPODES FLOTTANTS

Une empreinte fossile de *Diplodocus* ne donne à voir que les pattes avant. On suppose que l'animal, flottant à la surface de l'eau, ne posa que ses pattes avant afin de se stabiliser.

Crocodile
Les crocodiles, à l'affût de leurs proies, ne laissent dépasser de l'eau que leurs yeux et leur nez.

Diplodocus
Lorsqu'il flottait, le ventre et la queue du *Diplodocus* étaient portés par l'eau. Ses pattes avant lui permettaient de se diriger.

Coup de canon
L'extrémité très fine de sa queue pouvait claquer comme un fouet, assez vite pour donner la sensation d'une détonation. Ce bruit devait ressembler à un coup de canon.

Os en chevrons
Ces os, situés dans la partie inférieure de la queue, protégeaient les nerfs et les vaisseaux sanguins.

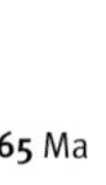

À titre de comparaison
Le *Diplodocus* avait la longueur de 20 enfants de 10 ans.

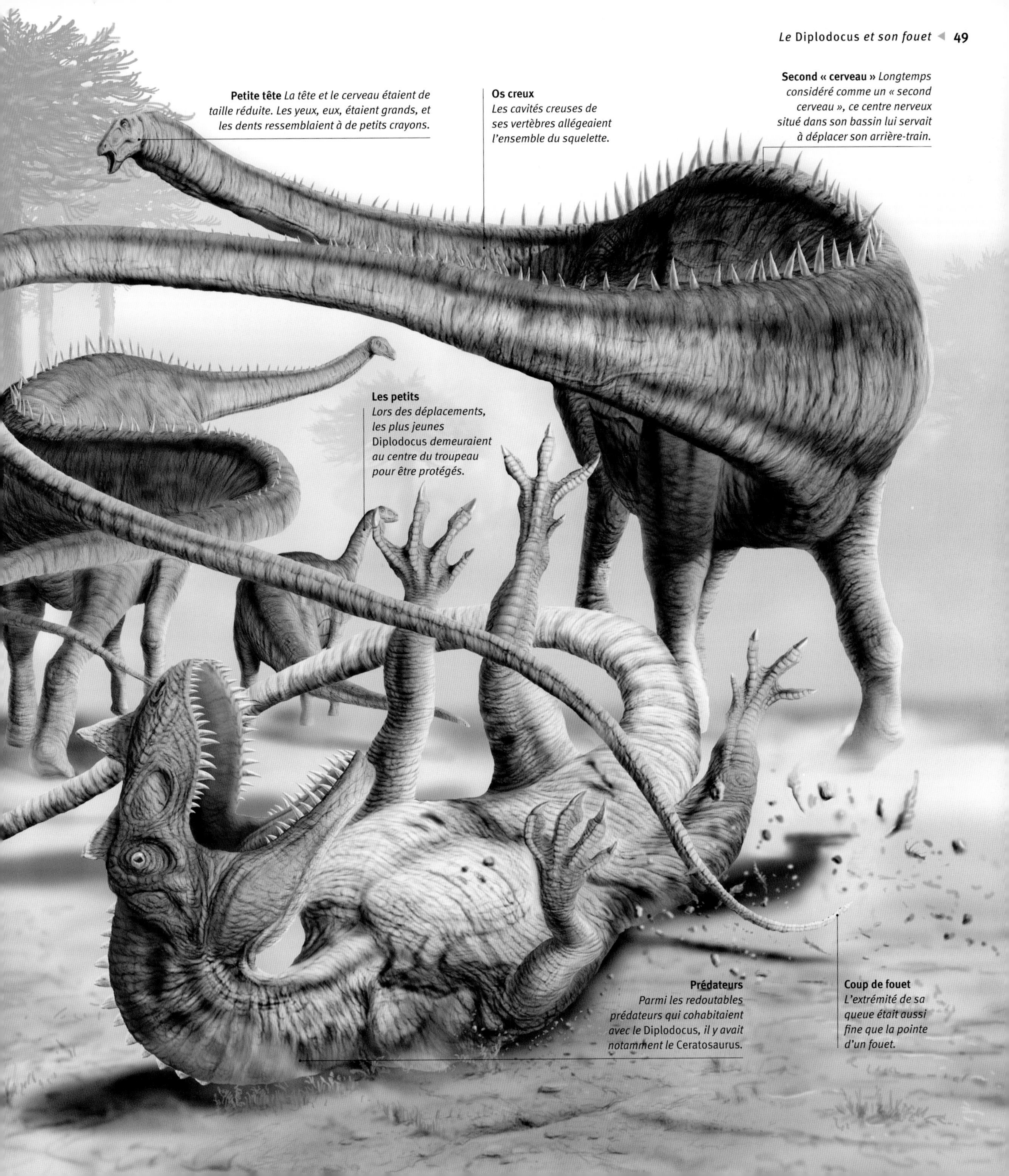

Petite tête *La tête et le cerveau étaient de taille réduite. Les yeux, eux, étaient grands, et les dents ressemblaient à de petits crayons.*

Os creux
Les cavités creuses de ses vertèbres allégeaient l'ensemble du squelette.

Second « cerveau » *Longtemps considéré comme un « second cerveau », ce centre nerveux situé dans son bassin lui servait à déplacer son arrière-train.*

Les petits
Lors des déplacements, les plus jeunes Diplodocus *demeuraient au centre du troupeau pour être protégés.*

Prédateurs
Parmi les redoutables prédateurs qui cohabitaient avec le Diplodocus*, il y avait notamment le* Ceratosaurus.

Coup de fouet
L'extrémité de sa queue était aussi fine que la pointe d'un fouet.

245 Ma

TRIAS

STEGOSAURUS : FAITS ET CHIFFRES
PRONONCIATION : Sté-go-zo-rus
SIGNIFICATION : lézard couvert
PÉRIODE : fin du Jurassique
GROUPE : ornithischiens
ALIMENTATION : herbivore
TAILLE : 12 m de long ; 4–5 m de haut
POIDS : 5,5 tonnes
DÉCOUVERTE : en 1877 par Othniel Charles Marsh
CHAMPS DE FOSSILES : États-Unis (Wyoming, Colorado, Utah)

Pointes multitâches

On suppose que les pointes dorsales du *Stegosaurus* avaient plusieurs fonctions : régulation thermique, reconnaissance dans le troupeau, attraction de partenaires, etc.

208 Ma

Le *Stégosaurus* et ses piquants

JURASSIQUE

Le *Stegosaurus* était doté de deux rangées de pointes osseuses dressées sur son dos. Sa queue s'achevait par quatre terribles piques. Son cerveau était l'un des plus petits de son espèce, comparable à celui d'un chien actuel. Néanmoins, un système nerveux secondaire, situé au niveau de son bassin, lui permettait de contrôler la partie arrière de son corps. Il balançait sa queue de part et d'autre, armé de ses piques, pour se défendre face à ses prédateurs. Dépourvu de dents à l'avant, il utilisait son bec pour arracher les plantes. Des fossiles de dents intactes laissent supposer qu'il avalait ses aliments sans les mâcher.

150 Ma

144 Ma

À titre de comparaison
Un *Stegosaurus* adulte était environ 10 fois plus long qu'un enfant de 10 ans.

CRÉTACÉ

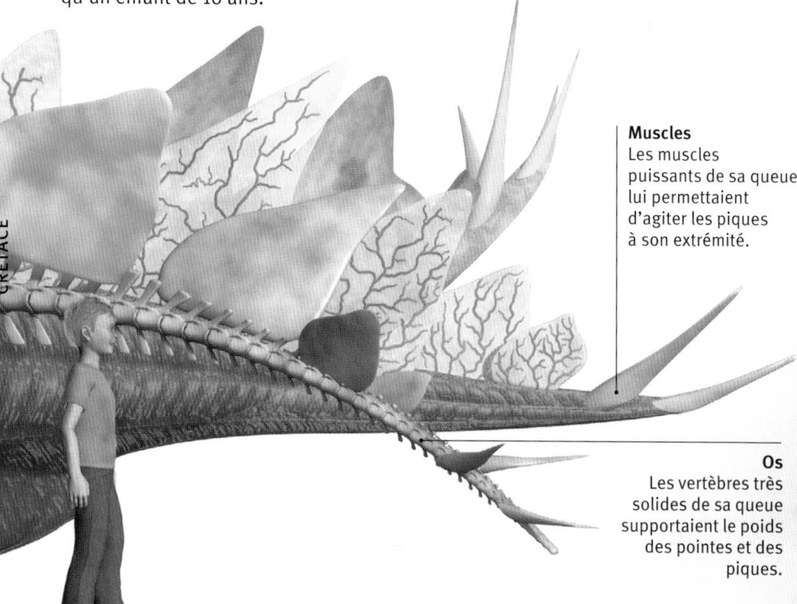

Muscles
Les muscles puissants de sa queue lui permettaient d'agiter les piques à son extrémité.

Os
Les vertèbres très solides de sa queue supportaient le poids des pointes et des piques.

65 Ma

Tissu osseux
Il supportait les pointes et les liait à la colonne vertébrale.

Vaisseaux sanguins
Ils irriguaient les pointes osseuses, participant ainsi à la régulation thermique.

Contrôle de la température
Ces grandes pointes comparables aux voiles d'un bateau étaient sillonnées de vaisseaux sanguins. Le Stegosaurus *s'en servait pour se réchauffer ou se rafraîchir, en les orientant selon ses besoins dans le sens du vent ou du soleil.*

Peau
La peau fine qui couvrait les pointes était sans doute de couleur vive.

Identification
L'apparence des pointes variait selon les individus. Cela laisse supposer qu'elles permettaient l'identification des membres d'une même espèce, ou d'espèces différentes telles que les Tuojiangosaurus *ou les* Kentrosaurus.

Accessoires piquants
La queue comportait quatre grandes piques tournées vers l'extérieur, chacune longue de 0,5 m à 0,9 m.

Protection
Les pointes dorsales permettaient au Kentrosaurus *de paraître plus gros qu'il n'était et, ce faisant, de dissuader ses prédateurs. Mais, trop fragiles en elles-mêmes, elles ne pouvaient pas constituer une défense efficace.*

Plein la vue
Traversées de nombreux vaisseaux, les pointes pouvaient prendre une soudaine teinte rouge sang. Ce qui permettait sans doute d'attirer d'éventuels partenaires.

245 Ma

TRIAS

208 Ma

JURASSIQUE

144 Ma

CRÉTACÉ

83 Ma

65 Ma

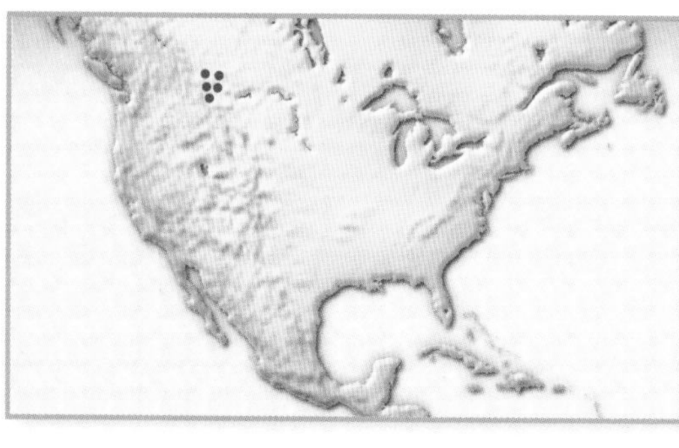

PARASAUROLOPHUS : FAITS ET CHIFFRES

PRONONCIATION : Pa-ra-zo-ro-lo-fus

SIGNIFICATION : lézard strié sur les côtés (en référence à ses dents)

PÉRIODE : fin du Crétacé

GROUPE : ornithopodes

ALIMENTATION : herbivore

TAILLE : 10,5 m de long ; 4 m de haut

POIDS : 4 tonnes

DÉCOUVERTE : en 1921 par Levi Sternberg

CHAMPS DE FOSSILES : États-Unis (Montana, Nouveau-Mexique), Canada

Le *Parasaurolophus* et sa drôle de crête

Grand dinosaure à tête de canard, le *Parasaurolophus* avait une sorte de crête osseuse sur le sommet de son crâne. Considérée pendant longtemps comme une sorte de tuba, lui servant à respirer, cette crête s'est révélée, à l'étude, beaucoup plus sophistiquée. Close à son extrémité, elle était sillonnée par des conduits reliés à ses cavités nasales. On suppose qu'il s'agissait d'un dispositif permettant de produire des sons très forts. Le *Parasaurolophus* était par ailleurs un herbivore doté de centaines de petites dents très serrées et d'un bec pointu, bien utile pour couper la tige des plantes.

À titre de comparaison
Dans sa plus grande largeur, son crâne était de la taille d'un enfant de 10 ans (1,40 m).

Tête à part
Les dinosaures à bec de canard étaient souvent affublés de crêtes, stries ou tubes creux sur le sommet de leur tête. Ils les utilisaient généralement pour les parades amoureuses.

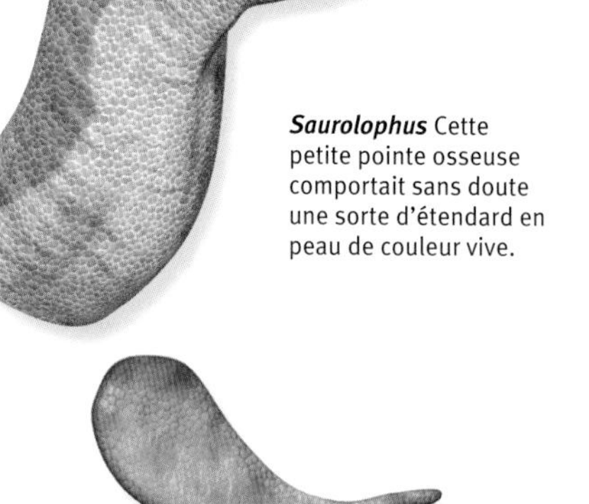

Saurolophus Cette petite pointe osseuse comportait sans doute une sorte d'étendard en peau de couleur vive.

Corythosaurus Sa large crête en demi-cercle attirait les partenaires éventuels.

Lambeosaurus Une crête comme une excroissance, doublée d'une sorte de pique à l'arrière.

FAIRE SON NID

La femelle *Parasaurolophus* nourrissait ses petits jusqu'à ce qu'ils marchent, comme ses cousins *Maiasaura* et les autres hadrosaures.

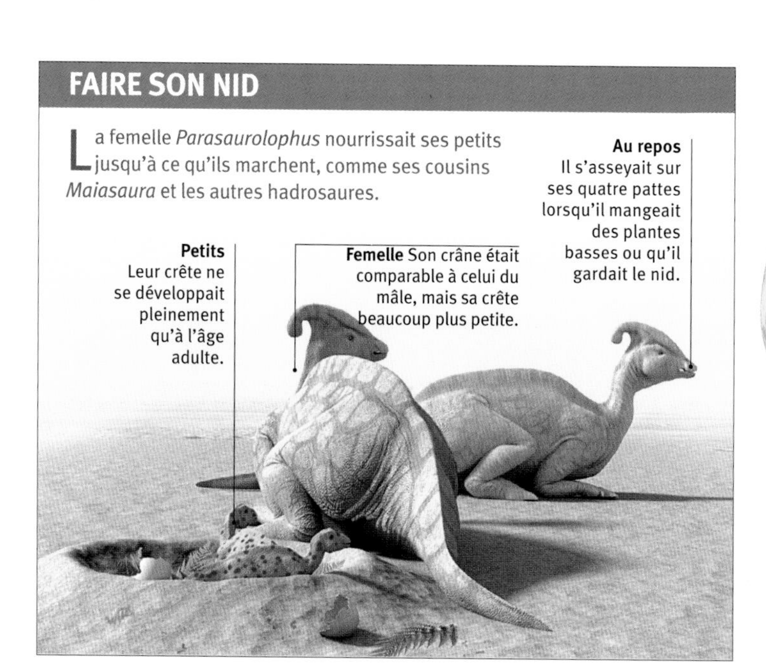

Petits Leur crête ne se développait pleinement qu'à l'âge adulte.

Femelle Son crâne était comparable à celui du mâle, mais sa crête beaucoup plus petite.

Au repos Il s'asseyait sur ses quatre pattes lorsqu'il mangeait des plantes basses ou qu'il gardait le nid.

Signaux d'alerte

La vie du *Parasaurolophus*, menacée par des prédateurs tels que le *Tyrannosaurus*, n'était pas sans danger. Il vivait sans doute en groupes pour se protéger, usant de sa crête pour lancer des signaux d'alerte lorsque des agresseurs s'approchaient.

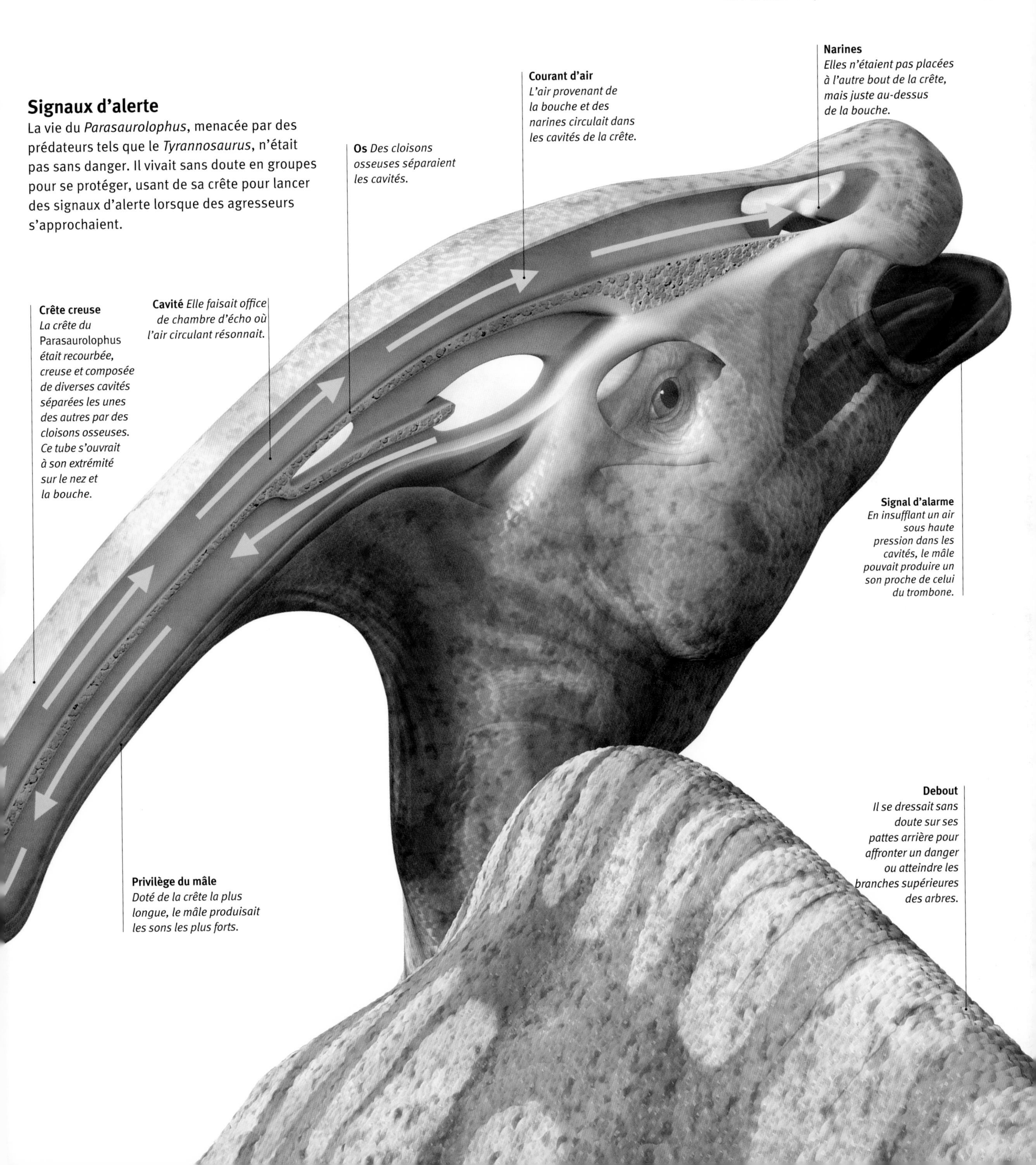

245 Ma

TRIAS

208 Ma

JURASSIQUE

144 Ma

CRÉTACÉ

73 Ma

65 Ma

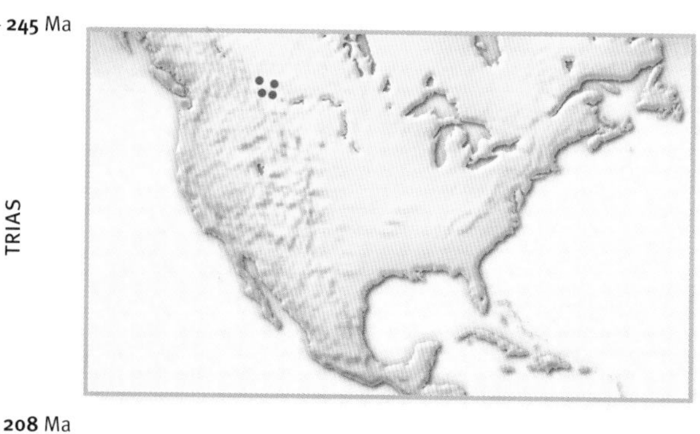

EUOPLOCEPHALUS : FAITS ET CHIFFRES

PRONONCIATION : Eu-o-plo-se-fa-lus

SIGNIFICATION : tête armée

PÉRIODE : fin du Crétacé

GROUPE : ornithischiens

ALIMENTATION : herbivore

TAILLE : 6 m de long ; 2 m de haut

POIDS : 2,2 tonnes

DÉCOUVERTE : en 1902 par Lawrence Lambe ; attribué en 1910

CHAMPS DE FOSSILES : États-Unis (Montana) et Canada (Alberta)

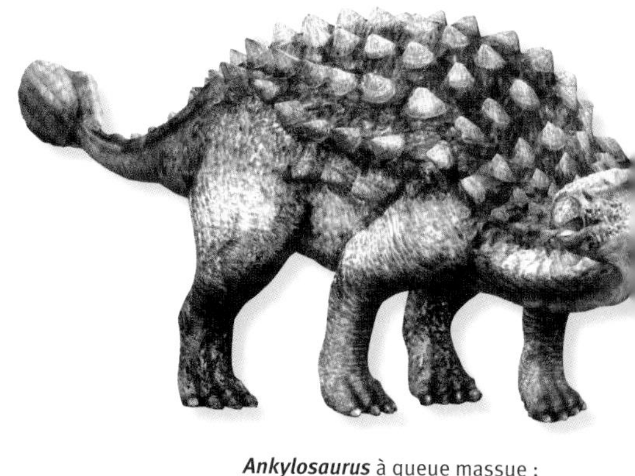

Ankylosaurus à queue massue ; c'est le dernier et le plus gros des ankylosaures (Amérique du Nord, fin du Crétacé).

L'*Euoplocephalus* et sa massue

L'Euoplocephalus était bâti comme un char d'assaut : plaques osseuses et piques sur le dos, les épaules et les joues, extrémité de la queue en forme de massue à deux têtes. Même ses paupières étaient protégées. Malgré cela, il était probablement aussi agile qu'un rhinocéros actuel. Le seul point faible de son armure était son ventre. Ses adversaires tentaient donc de le retourner sur le dos pour l'attaquer à l'estomac. La complexité de son système respiratoire externe atteste un bon odorat. En revanche, ses dents fragiles laissent supposer une alimentation à base de plantes qu'il cueillait sans doute grâce à ses pattes arrière, assez souples, et à ses griffes puissantes.

Bouclier dorsal *La protection de son dos comprenait des plaques et des piques osseuses. Les plus saillantes d'entre elles étaient situées sur les épaules.*

Muscles de la queue *Ces muscles puissants, attachés aux os, favorisaient les amples mouvements de balancier.*

Un ventre délicat *Son ventre, dépourvu de protection, était son point le plus vulnérable.*

À titre de comparaison Beaucoup plus haut qu'un enfant de 10 ans, l'*Euoplocephalus* était quatre fois plus long.

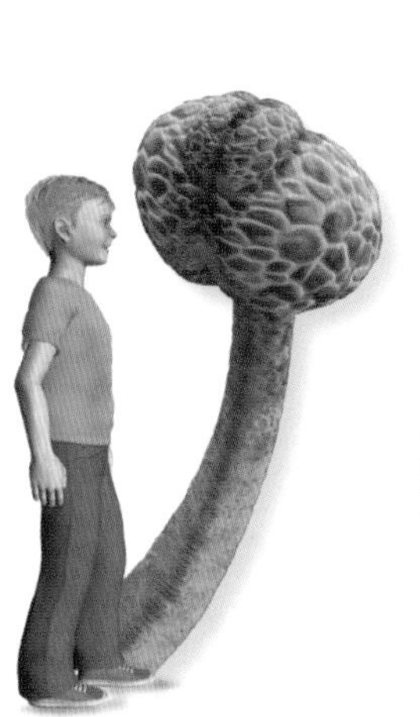

UNE QUEUE MASSUE

On suppose qu'il balançait sa queue de part et d'autre, de plus en plus vite, pour faucher les pattes et les chevilles de ses agresseurs.

La boule était couverte d'une peau épaisse.

Muscles et tendons animaient la boule.

Ses vertèbres se prolongeaient jusqu'à l'extrémité de la queue.

Une bonne défense

Des ankylosaures blindés ont été retrouvés sur tous les continents, y compris l'Antarctique. Cette propagation est sans doute liée au fait qu'ils pouvaient bien se défendre et se protéger.

Daspletosaurus

Minmi sans queue massue, mais couvert de piques sur la queue et de protections ventrales (Australie, début du Crétacé).

Edmontonia sans queue massue, mais couvert de plaques et de piques osseuses (Amérique du Nord, fin du Crétacé).

Cornes
Les cornes saillantes à l'arrière de sa tête étaient courtes mais pointues, afin de protéger son cou.

Prêt à se défendre

L'*Euoplocephalus* vivait probablement en troupeaux, creusant le sol à la recherche de racines et de tubercules. Ses piques et sa queue massue constituaient ses principales armes face aux grands prédateurs, tels que le *Daspletosaurus*.

245 Ma

TRIAS

208 Ma

JURASSIQUE

144 Ma

CRÉTACÉ

71 Ma

65 Ma

PACHYCEPHALOSAURUS : FAITS ET CHIFFRES
PRONONCIATION : Pa-chi-ce-fa-lo-zo-rus
SIGNIFICATION : lézard à forte tête
PÉRIODE : fin du Crétacé
GROUPE : ornithischiens
ALIMENTATION : herbivore
TAILLE : 10,5 m de long ; 4 m de haut
POIDS : 4 tonnes
DÉCOUVERTE : en 1940 par William Winkley (le crâne)
CHAMPS DE FOSSILES : États-Unis (Montana, Wyoming, Dakota)

UN PEU D'ANATOMI

Le crâne en forme de dôme était conçu pour favoriser les chocs frontaux. L'alignement spécifique des vertèbres de la colonne vertébrale permettait d'absorber la violence des chocs. Les parois du crâne faisaient 25 cm d'épaisseur.

Le *Pachycephalosaurus* et sa tête bélier

Jusqu'en 1940, le *Pachycephalosaurus* n'était connu que sous la forme de fragments. Mais la découverte d'un crâne complet de 60 cm de long permit d'établir qu'il avait un crâne en forme de dôme, bordé de petites piques sur les côtés et de part et d'autre du museau. Celles-ci servaient sans doute dans les combats entre mâles, tête contre tête, ou pour se défendre des prédateurs. Le crâne du *Pachycephalosaurus* était conçu pour répartir le choc des collisions, depuis le cerveau et sur tout le long de la colonne vertébrale. Cette dernière comportait des ligaments épais qui absorbaient en partie les vibrations. Ses dents étaient larges et striées sur les côtés pour mieux perforer feuilles, graines et glands.

Combats entre mâles

Herbivore, le *Pachycephalosaurus* avait un mode de vie comparable aux cerfs ou aux chèvres actuels. Les combats entre mâles pour conquérir une femelle s'achevaient tête contre tête. Les échos sourds des chocs violents s'entendaient sans doute de loin.

Une queue lourde
La queue était maintenue dans l'alignement de la colonne vertébrale, afin d'absorber la violence des chocs frontaux.

À titre de comparaison

Une fois redressé, le *Pachycephalosaurus* était trois fois plus grand qu'un enfant de 10 ans.

Effort d'imagination
Faute d'éléments, son corps a été reconstitué sur la base des autres pachycéphalosaures, tels que le *Stegoceras*.

De longues pattes
Ses pattes étaient assez longues pour qu'il puisse prendre de la vitesse lors des charges frontales.

Piques du crâne
Tête en dôme
Vertèbres alignées
Piques du museau
Dents courtes
Porter les coups
Le mâle cherchait à frapper son adversaire avec le sommet de son crâne en dôme, pour un impact maximal.
Recevoir les coups
Lorsque les coups manquaient la tête de l'adversaire, ils pouvaient blesser sérieusement d'autres parties de son corps.
Femelles
Les femelles étaient sans doute dépourvues de ces ornements osseux autour de la tête. Elles étaient aussi beaucoup plus fines.

245 Ma

TRIAS

208 Ma

JURASSIQUE

144 Ma

CRÉTACÉ

67 Ma

65 Ma

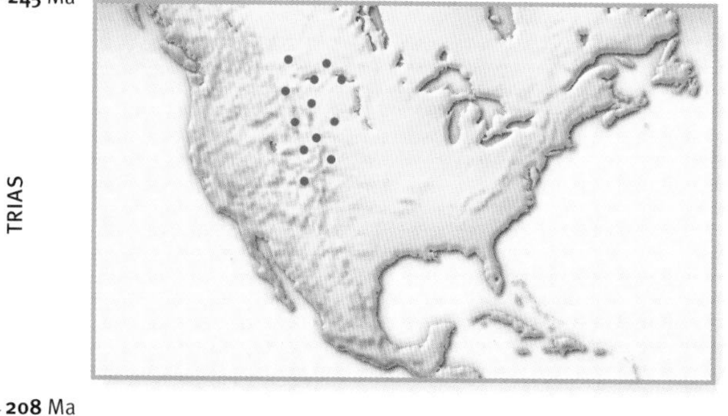

TRICERATOPS : FAITS ET CHIFFRES
PRONONCIATION : Tri-sé-ra-tops
SIGNIFICATION : tête à trois cornes
PÉRIODE : fin du Crétacé
GROUPE : ornithischiens
ALIMENTATION : herbivore
TAILLE : 9 m de long ; 3 m de haut
POIDS : 5,4 tonnes
DÉCOUVERTE : en 1888 par John Bell Hatcher
CHAMPS DE FOSSILES : ouest des États-Unis et du Canada

Protéger le clan
Le *Triceratops* vivait en grands troupeaux. Les adultes formaient un cercle de protection autour des plus jeunes, comme le font encore les rhinocéros actuels.

Le *Triceratops* et ses trois cornes

Semblable à un rhinocéros, la tête du *Triceratops* était ornée d'un tablier osseux et de cornes, situées au-dessus du nez et des yeux. Cet animal très lourd ne se déplaçait que sur ses quatre pattes. Grâce à son bec et à ses dents très serrées, il pouvait manger n'importe quelle plante. Il vivait en troupeaux. L'abondance des fossiles retrouvés en Amérique du Nord indique qu'il était le dinosaure le plus répandu à la fin du Crétacé. Ses cornes, peu saillantes au début de sa vie, ne sortaient vraiment qu'à l'âge adulte. Elles constituaient alors sa principale défense, plus dissuasive qu'offensive.

Adolescent
Dès cet âge, les cornes au-dessus des yeux étaient bien développées et très agiles. Le tablier était sans doute couvert de plaques d'écailles.

À titre de comparaison
Le *Triceratops* mesurait le double d'un enfant de 10 ans.

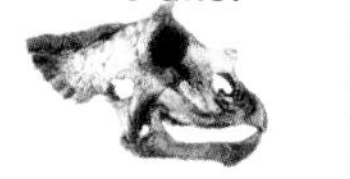

Crâne d'enfant
Le tablier représentait 45 % de la longueur du crâne.

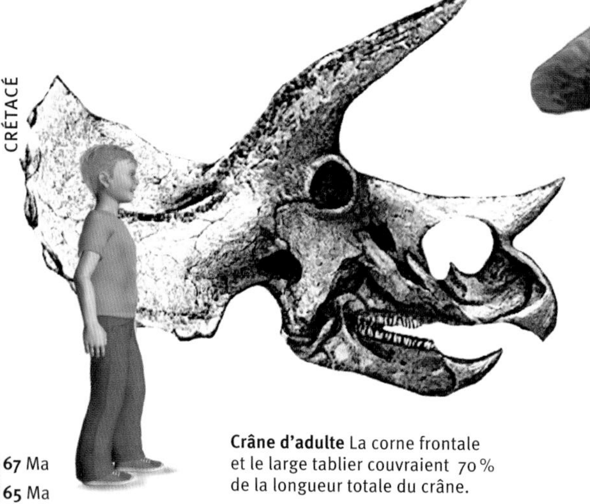

Crâne d'adulte La corne frontale et le large tablier couvraient 70 % de la longueur totale du crâne.

FAMILLE DE TABLIERS

Les cornes et les tabliers de cette famille de dinosaures (les cératopsiens) se déclinaient de manière très variée, de la corne simple jusqu'aux piques ou aux trous, dans le tablier ou autour de lui.

Styracosaurus
Une corne principale et six plus petites à l'arrière du tablier.

Centrosaurus Une corne sur le nez et deux trous dans le tablier, orné de petite cornes.

Adulte
Ses cornes, y compris celle du nez, pointaient de manière très marquée vers l'avant. Le tablier était souple et bordé de petites pointes triangulaires.

Durant le combat
Le Triceratops, *dont le crâne était trop faible, ne se risquait pas à attaquer un* Daspletosaurus. *Il préférait le menacer de ses longues cornes.*

Jeune *Les cornes du jeune* Triceratops *commençaient à pointer. Le tablier était ondulé.*

Petit
Les cornes d'un petit se résumaient à de petits ergots au-dessus des yeux. Sa corne frontale était courte et son tablier semblable à un coquillage.

Les familles de dinosaures

Dinosauriens
Tous les dinosaures

Saurischiens
Dinosaures à bassin de reptile

Théropodes
Carnivores

Coelophysis
Ce prédateur agile (3 m), doté de longues pattes et de griffes, vivait en bandes en Amérique du Nord.

Baryonyx
Le *Baryonyx*, de la famille des crocodiles, pêchait grâce à ses grandes griffes courbées.

Oviraptor
Un mangeur de plantes, graines et petits animaux, dépourvu de dents, qui couvait son nid.

Troodon
Un prédateur d'Amérique du Nord, très malin, dont les grands yeux lui permettaient de chasser de nuit.

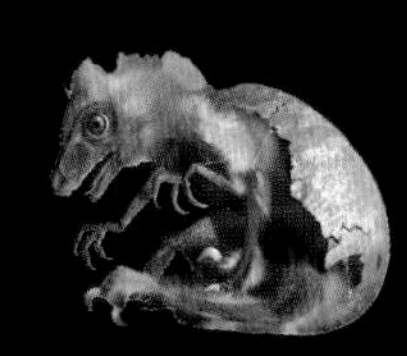

Guanlong
Cet ancêtre du *Tyrannosaurus* mesurait 2 m et vivait en Chine. Une drôle de crête coiffait sa tête.

Spinosaurus
Avec ses 18 m de long, c'était le plus grand des théropodes. Il portait une crête sur son dos.

Deinonychus
Ce « raptor » américain mesurait 3 m de long. Doté de griffes acérées, il chassait en groupe.

Velociraptor
Ce petit (1 m) « raptor » de Mongolie avait des griffes redoutables et un museau semblable à celui du loup.

Aves
Oiseaux

Struthiomimus

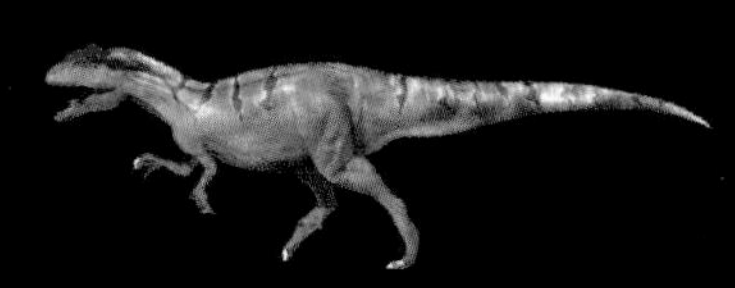

Allosaurus

Hesperornis
Cet oiseau primitif d'Amérique du Nord était contemporain du *Tyrannosaurus*. Il pêchait du poisson.

Archaeopteryx

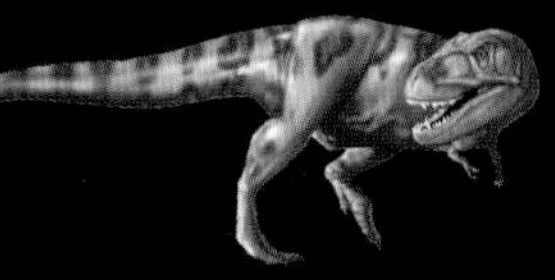

Tyrannosaurus

Ornithischiens
Dinosaures à bassin d'oiseau

Sauropodes
Herbivores

Diplodocus

Giraffatitan
Cet herbivore géant d'Afrique mesurait 23 m de long et culminait à 16 m de haut.

Barosaurus
Cet herbivore de 26 m de long était affublé d'une tête étroite et de dents en forme de crayon.

Plateosaurus

Apatosaurus
Cet herbivore était connu autrefois sous le nom de *Brontosaurus*. Son cerveau était de la taille d'un chat.

Melanorosaurus
Un herbivore africain de 12 m de long qui marchait par moment sur ses deux pattes arrière.

Euoplocephalus

Ankylosaurus
Ce dinosaure « blindé » de 10 m de long se protégeait grâce à des plaques osseuses et sa queue « massue ».

Pachycephalosaurus

Protoceratops
Long de 3 m, cet herbivore de Mongolie était un des petits dinosaures les plus répandus.

Parasaurolophus

Maiasaura
Cet herbivore vivait en troupeaux en Amérique du Nord. Il élevait ses petits dans de vraies nurseries.

Stegosaurus

Triceratops

Iguanodon
Premier animal à être baptisé dinosaure, il vivait en troupeaux en Europe, en Amérique du Nord et en Asie.

Glossaire

angiospermes Famille des plantes feuillues.

animaux à sang chaud Les animaux tels que les mammifères et les oiseaux sont dits « à sang chaud ». Leur température corporelle est constante, entretenue par la consommation des aliments. Ils sont actifs en permanence.

animaux à sang froid Les animaux tels que les serpents ou les lézards sont dits « à sang froid », car ils puisent la chaleur corporelle dans leur environnement, en s'exposant au soleil. Ils sont plus calmes quand il fait froid.

ankylosaures Groupe de dinosaures herbivores ayant vécu en Amérique du Nord, en Asie, en Europe et en Australie à la fin du Crétacé. Ils portaient de lourdes protections sous la forme de plaques osseuses, de piques et de pointes. Leur crâne était solide et l'extrémité de leur queue formait une massue.

bactérie Forme de vie microscopique jouant un rôle important dans la décomposition des chairs et des plantes.

camouflage Manière de se déguiser afin de se fondre dans son environnement. La peau de certains dinosaures avaient la même couleur que les plantes pour disparaître aux yeux de leurs proies ou de leurs prédateurs.

carnivore Animal ou plante qui mange de la viande.

cartilage Contituant des os, qui représente avant la naissance la quasi-totalité du squelette, et qui subsiste en petite quantité chez l'adulte, aux articulations.

Cénozoïque Cette ère, commencée il y a 65 millions d'années, avec l'extinction des dinosaures, est aussi connue sous le nom d'Âge des mammifères.

céphalopode Groupe d'animaux au corps souple, apparentés aux escargots, vivant le plus souvent dans une coquille rigide. Il comprend les calmars, les seiches et les pieuvres.

cératopsiens Groupe d'herbivores à quatre pattes, tels que le *Tricératops*. Leur grosse tête portait un tablier osseux et des cornes. Ils furent le fruit des évolutions les plus tardives des dinosaures. Ils vivaient en groupes, sillonnant l'Asie et l'Amérique du Nord pendant 20 millions d'années.

charognard Carnivore qui se nourrit d'animaux morts.

conifère Type d'arbres pourvus de feuilles en forme d'aiguille, porteuses de leurs propres graines coniques. Les pins appartiennent à la famille des conifères.

coprolithe Excrément animal fossilisé.

Crétacé Troisième et dernière période géologique de l'ère Mésozoïque, au cours de laquelle évoluèrent de nombreux dinosaures, avant de disparaître. Elle s'étendit de 144 à 65 millions d'années.

cycas Arbre primitif de la famille des palmiers qui poussait au cours du Trias et du Jurassique. Ses branches étaient résistantes et ses feuilles très larges. Il se reproduisait grâce à des graines coniques. Seules quelques variétés subsistent aujourd'hui, toutes toxiques.

érosion Usure de la surface de la Terre par les rivières, la pluie, les marées, les glaciers ou les vents.

espèces Groupe d'animaux ou de plantes qui peuvent se reproduire entre eux, de même que leur descendance. Un groupe d'espèces semblables constitue un genre.
Le *Tyrannosaurus rex* était une espèce issue du genre de dinosaures *Tyrannosaurus*.

évolution Transformation des animaux et des plantes en différentes espèces au cours du temps. Les dinosaures, produits de l'évolution de leurs ancêtres, évoluèrent eux-mêmes en différentes espèces au cours du Mésozoïque.

excavation Exhumation d'un objet du sol. Tout fossile doit être exhumé avec beaucoup de précautions.

extinction Disparition d'espèces ou de vastes communautés animales ou végétales.
Les dinosaures s'éteignirent pour leur part à la fin du Crétacé. Les oiseaux, proches cousins, survécurent.

fossiles Restes ou traces de vie ancienne, enterrés puis soumis à toute une série de modifications. Il peut s'agir des restes d'une plante ou d'un animal transformés en pierre, ou d'une simple empreinte dans la roche.

gastrolithes Certains dinosaures avalaient des pierres pour faciliter leur digestion.

Gondwana Supercontinent du Sud, créé au moment de la scission de la Pangée en deux, il y a environ 208 millions d'années.

hadrosaures Groupe de dinosaures herbivores à bec de canard, tels que le *Parasaurolophus*. Ils étaient dotés de nombreuses dents, et la plupart portaient une crête sur la tête. Ils apparurent en Asie au début du Crétacé puis se répandirent
à travers l'Europe et l'Amérique. Ils étaient les ornithopodes les plus répandus de l'époque.

herbivore Animal se nourrissant de végétaux.

ichtyosaures Groupe de reptiles marins qui vivaient à la même époque que les dinosaures. Ces animaux dont la silhouette ressemblait à celle des dauphins mettaient bas dans la mer.

ilion Principal os du pelvis. Il soutient les jambes et est attaché à la colonne vertébrale.

ischion L'un des os du pelvis. Chez les dinosaures, il pointait en avant et soutenait les muscles des pattes et de la queue.

Jurassique Période intermédiaire de l'ère Mésozoïque, elle s'étendit de 208 à 144 millions d'années. Les conditions y furent favorables au développement de nouveaux types de

dinosaures, en particulier les grands sauropodes.

Laurasia Supercontinent du Nord, créé au moment de la scission de la Pangée en deux.

mammifères Groupe d'animaux vertébrés, couverts de poils et nourrissant leurs petits avec leur lait. À l'instar des chiens ou des chats, les êtres humains sont des mammifères.

Mésozoïque L'ère des dinosaures. Elle débuta il y a 245 millions d'années, avant leur apparition, et s'acheva il y a 65 millions d'années avec une extinction massive de plantes et d'animaux. Elle comprend les périodes du Trias, du Jurassique et du Crétacé.

météorite Masse de roche ou de métal projetée sur Terre depuis l'espace.

momifié Asséché par la chaleur ou le vent. Certains dinosaures furent conservés de cette manière, après avoir séjourné sous le sable ou sous des cendres volcaniques. Leur peau ou leurs organes sont parfois fossilisés.

mosasaures Groupe de reptiles marins disparus, également appelés dragons des mers. Ils vivaient près des côtes, au cours du Crétacé. Leur corps très fin, semblable à une anguille, était doté de quatre nageoires.

moulage Réplique exacte d'un os ou d'un squelette fait de résine, de plâtre ou de plastique. Certains tissus peuvent aussi laisser une empreinte fossilisée dans la pierre.

omnivore Animal qui mange indifféremment des plantes ou d'autres animaux.

ornithischiens Dinosaures à bassin d'oiseau. Dans ce groupe, le pubis pointe vers le bas et en arrière, parallèlement à l'ischion. Tous les ornithischiens étaient herbivores.

ornithopodes Dinosaures ornithischiens à pattes d'oiseaux. Ce groupe inclut les hadrosaures, les pachycéphalosaures et tous les dinosaures blindés ou pourvus de cornes.

pachycéphalosaures Groupe de dinosaures herbivores dont le crâne était en forme de dôme osseux. Il inclut les *Stegoceras* et les *Pachycephalosaurus*. La plupart vécurent en Amérique du Nord et en Asie, à la fin du Crétacé.

paléontologue Scientifique qui étudie la vie sur Terre aux époques géologiques, en particulier grâce aux fossiles de plantes et d'animaux.

Paléozoïque Ère des « Temps anciens », elle précède le Mésozoïque. Elle est composée de six périodes : le Cambrien, l'Ordovicien, le Silurien, le Dévonien, le Carbonifère et le Permien. Elle débuta il y a 540 millions d'années avec le Cambrien, marqué par une explosion de la vie sur Terre, et s'acheva par une extinction à la fin du Permien.

Pangée Supercontinent qui réunissait tout les continents actuels en un. Il se forma durant le Permien et fut dissous au cours du Jurassique.

pétrifié Os, ou toute autre matière organique, dont la substance a peu à peu été remplacée par des minéraux.

plésiosaures Grands reptiles marins très répandus au Jurassique et au Crétacé. Leur long cou émergeait de la surface des eaux. Ils nageaient grâce à leur quatre nageoires en forme de rame.

pliosaures Reptiles marins, tels que le *Liopleurodon*, à large tête dentée et corps long et robuste. Ils écumaient les mers du Mésozoïque.

prédateur Animal qui chasse d'autres animaux pour se nourrir.

prêle des champs Plante des marais apparentée aux fougères. Très répandue à l'époque des dinosaures, elle ne survit plus aujourd'hui qu'à travers un nombre limité de variétés.

proie Animal chassé par d'autres animaux.

prosauropodes L'un des premiers groupes de dinosaures, ancêtres des sauropodes à long cou. Ces herbivores, tels que le Plateosaurus, vécurent de la fin du Trias au début du Jurassique.

ptérosaures Reptiles volants, lointains parents des dinosaures. D'une envergure de 45 cm à 12 m, ils apparurent à la fin du Trias.

pubis L'un des os situés en bas du pelvis. Chez les saurischiens, il pointait en avant ; chez les ornithischiens, il pointait en arrière, parallèlement à l'ischion.

reptiles Groupe d'animaux vertébrés couverts d'écailles. Leurs petits naissent dans des œufs. Les serpents et les lézards sont des reptiles actuels.

saurischiens Dinosaures à bassin de lézard : leur pubis pointe vers la tête de leur pelvis. Les théropodes carnivores sur deux pattes et les sauropodes herbivores sur quatre pattes étaient également des saurischiens.

sauropodes Dinosaures à quatre pattes, pourvus d'un long cou et d'une queue interminable, tels que le *Diplodocus*. Leurs hanches étaient semblables à celle des lézards, alors que chez la plupart des herbivores elles étaient sur le modèle des oiseaux. Présents à la fin du Trias, ils comptent les plus grands animaux ayant jamais vécu sur Terre.

stégosaures Herbivores à quatre pattes, ils arboraient des plaques osseuses sur leur dos, et de longues piques sur leur queue, à l'image du *Stegosaurus*. Ils peuplèrent l'Amérique du Nord, l'Asie et l'Afrique à partie de la fin du Jurassique.

théropodes Ce groupe comprend tous les dinosaures carnivores. Ils marchaient sur leurs pattes arrière.

Trias Première période de l'ère Mésozoïque, de 245 à 208 millions d'années. Les dinosaures apparurent au milieu de cette période.

trilobite Petite créature à l'allure de scarabée qui vivait dans les mers du Paléozoïque. Les trilobites disparurent à la fin du Permien.

Index

Crédits

ILLUSTRATIONS

Couverture James McKinnon (42-43), **Leonello Calvetti ; quatrième de couverture** Leonello Calvetti, The Art Agency/Barry Croucher, James McKinnon
Paul Bachem 28 ; **Alistair Barnard** 11 ; **The Art Agency/Robin Bouttell** 10 ; **Leonello Calvetti** 4, 8–9, 11, 28, 32–33, 34–35, 60, 61 ; **Karen Carr**© 4, 6–7, 10, 11, 20–21, 22–23, 24–25, 26–27, 60, 61 ; **Brian Choo** 8, 32; **The Art Agency/Barry Croucher** 5, 10, 11, 38–39, 46–47, 50–51, 52–53, 61, 62 ; **Mark A. Garlick** 4, 18 ; **Steven Hobbs** 11, 28, 38, 40, 42, 44, 46, 48, 50, 52, 54, 56, 58 ; **The Art Agency/Steve Kirk** 28, 61 ; **Dr. David Kirshner** 60; **James McKinnon** 1, 3, 4, 5, 11, 12–13, 14–15, 16–17, 29, 40–41, 42–43, 44–45, 48–49, 56–57, 60, 61, 62 ; **Moonrunner Design** 60 ; **Peter Bull Art Studio** 28, 29, 30 ; **PixelShack** 28, 29, 36–37, 54–55, 58–9, 60, 61 ; **The Art Agency/Luis Rey** 60

C ARTES

Andrew Davies and Map Illustrations

PHOTOGRAPHIES

Légendes : h = haut ; g = gauche ; d = droit ; hg = haut à gauche ; hcg = haut centre gauche ; hc = haut centre ; hcd = haut centre droit ; hd = haut à droite ; cg = centre gauche ; c = centre ; cd = centre droit ; b = bas ; bg = bas à gauche ; bcg = bas centre gauche ; bc = bas centre ; bcd = bas centre droit ; bd = bas droit

APL/CBT = Australian Picture Library/Corbis ; APL/MP = Australian Picture Library/Minden Pictures ; GI = Getty Images ; NHM = Natural History Museum, London ; PL = photolibrary.com; WA = Wildlife Art Ltd

11b PL **19**hd APL/MP **20**bg PL ; bd John Long **25**bd NHM **26**bg APL/CBT **28**g Stuart Bowey ; hc, hd PL **30**bd John Long **31**bd GI **32**hc PL **35**bcd APL/CBT ; bd GI **40**cg APL/CBT

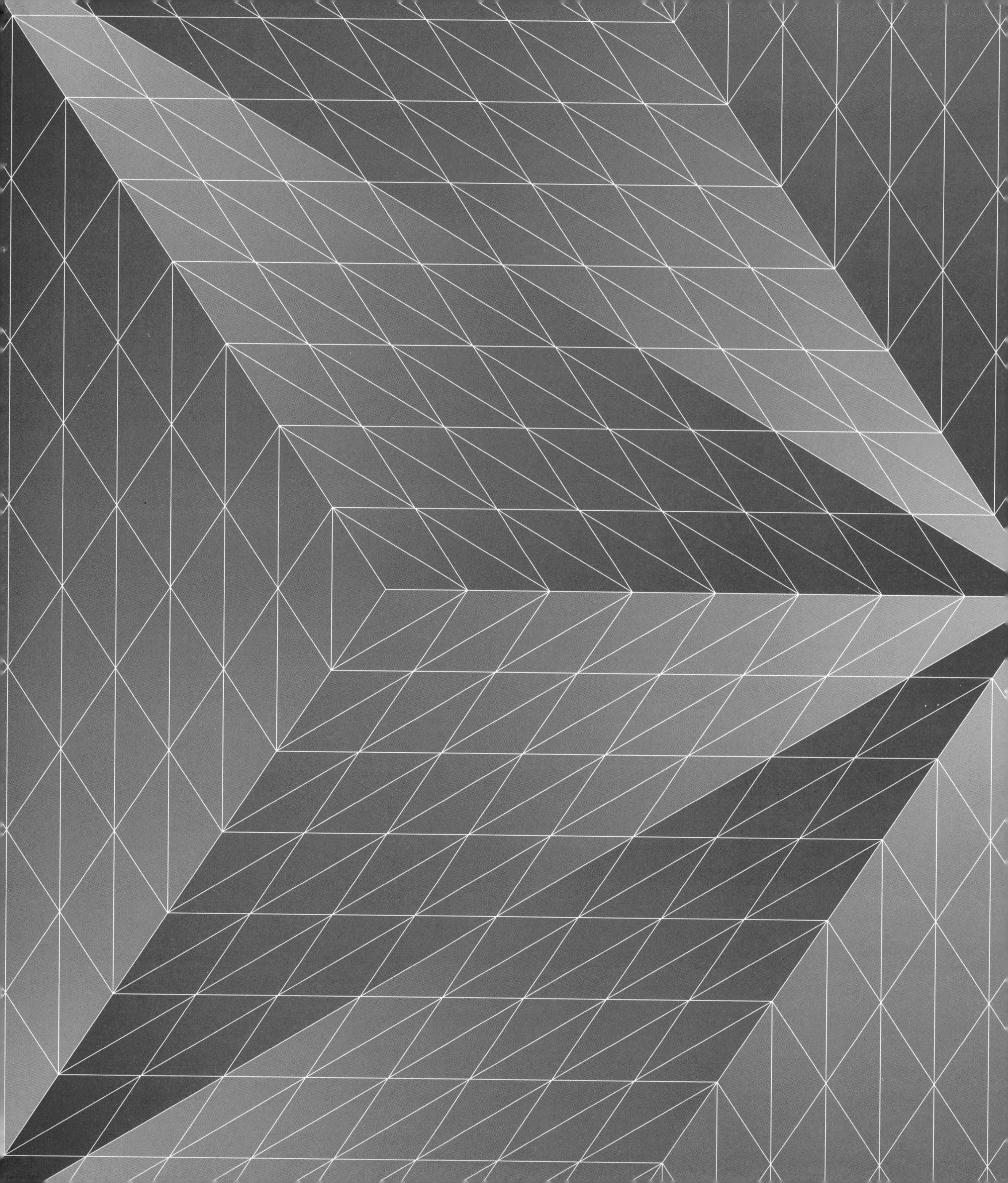